Mi TESORO de ORACIONES

Pedro Solanes

D. R. © Editores Mexicanos Unidos, S. A.
Luis González Obregón 5, Col. Centro,
Cuauhtémoc, 06020, D. F. Tels. 55 21 88 70 al 74
Fax: 55 12 85 16
editmusa@prodigy.net.mx
www.editmusa.com.mx

Coordinación editorial: Marisol González Olivo
Diseño de portada: Arturo Rojas Vázquez
Formación y corrección: Equipo de producción de
Editores Mexicanos Unidos

Miembro de la Cámara Nacional
de la Industria Editorial. Reg. Núm. 115.

1a edición: Julio de 2005
5a reimpresión: Noviembre de 2010

ISBN (titulo)   978-968-15-1182-1
ISBN (colección) 978-968-15-0801-2

Impreso en México
Printed in Mexico

ISBN 978-968-15-1182-1

9 789681 511821

Mi TESORO de ORACIONES

Pedro Solanes

editores mexicanos unidos, s.a.

Para rezar correctamente

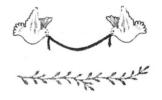

Casi todas las religiones creen en el poder de la oración, pero muy pocas nos dicen cómo hacerlo correctamente. Por lo general, cuando se acude a los servicios religiosos nunca vamos ni con la disposición adecuada, desde el punto de vista emocional, ni con la mentalidad dispuesta a centrarse de manera eficaz en el ejercicio de la oración, porque estamos pensando en nuestros asuntos personales.

Los estudiosos que conocen más allá de los límites establecidos y que han penetrado en otros dominios del pensamiento, la mente y el espíritu, saben con certeza que la oración es una de las fuerzas más grandes que tiene a su disposición nuestro mundo, sobre todo cuando se le utiliza en su verdadera dimensión.

Debemos hacerlo de la manera más sencilla, teniendo la seguridad de que lo que pidamos no se nos negará. Las imágenes deben ser claras y positivas; la oración debe decirse sin traspiés ni distracciones ni titubeos y debe repetirse en un mínimo de tres veces. ¿Por qué? Se dice en la numerología sagrada que el número tres representa al triángulo ya que es la suma de la unidad más la dualidad, lo cual produce un resultado tangible en cualquier plano de manifestación, y por lo tanto, el número tres es el número de los resultados. ¿Queremos tener éxito en nuestras peticiones? Deberemos hacerlas por tres veces seguidas, por triplicado. Los grandes maestros han enseñado que al rezar por tres veces se hace lo siguiente:

La primera vez se reza por el hacedor del cosmos, del universo, es decir, por Dios.

La segunda vez se reza por los hacedores de cada uno de nosotros, es decir, por nuestros padres, ya sea que estén vivos o muertos, pues sin ellos, simplemente no estaríamos aquí, no tendríamos la vida de la que gozamos. Ojalá esto lo pudiesen comprender cabalmente nuestros lectores, pues se propiciaría con ello una gran fuente de alivio y de sanación individual y colectiva.

La tercera vez se reza por uno mismo, pues también somos los creadores de nuestra propia vida y de nuestros hijos.

Sin embargo, para obtener los óptimos resultados es mejor orar en soledad y en voz alta, con un lenguaje perfectamente audible y

pausado, teniendo los pies
pegados por los talones; de pie o
sentados; si estamos sentados lo
podremos hacer en la postura que
se llama hierática, con la espalda
recta pegada al respaldo del sillón
o de la silla y con los dedos
entrelazados descansando a la
altura del pecho, entre el estómago
y el diafragma —en la región que
se conoce como plexo solar—.
¿Cuál es el propósito de esto? Se
conserva y se amplía el circuito
magnético del cuerpo, se hace
más poderosa el aura y el cordón
de plata puede establecer una
comunicación más precisa con
nuestra parte divina.

En los primeros tiempos del Cristianismo se seguían más o menos estas instrucciones al pie de la letra y se obtenían, como lo dijimos antes, resultados que entraban en el reino de lo maravilloso y de lo milagroso. Por tanto, primero respiramos tres veces, luego debemos rezar con atención, concentración, ritmo, en voz alta y visualizando exactamente aquello que estamos pidiendo. Podemos pedir, por ejemplo, para salir de un apuro económico, por la salud de un pariente, de un amigo, de nosotros mismos y podemos pedir, en general, por las buenas acciones, los buenos deseos y las buenas obras, por la obtención de todo aquello que sea positivo y bondadoso. Pero si utilizamos la oración para desear, infligir o actuar de manera perversa, negativa y maligna, buscando ventajas personales, el perjuicio de los demás en cualquier aspecto ya sea físico, emotivo, mental o espiritual, no solamente la o las oraciones no van a actuar, sino que con toda seguridad, así como lo decimos, estaremos firmando una sentencia ineludible e irrevocable que tarde o temprano habremos de pagar con cualquier aspecto: dolor, enfermedad, ruina, desprestigio,

vicio, y sobre todo, con nuestra propia muerte. No podemos definitivamente usar las oraciones para ningún acto negativo, nefasto, maligno y perverso.

La oración es una bendición para el hombre para que aprenda a utilizarla sabiamente. Por ello, este libro le ofrece a nuestros lectores la posibilidad de aprender a manejar esta valiosa herramienta, con la esperanza de que pueda utilizarla para su sanación física, emotiva y mental; para que, efectivamente, el espíritu descienda sobre nosotros y nos colme de paz, felicidad, amor, salud y armonía.

Sin duda, la oración se presenta en el nuevo Milenio, como una herramienta invaluable que habrá de contribuir al mejoramiento de la calidad de vida de las personas que quieran acercarse a ella para alejarse más allá de la tontería, de la mezquindad, del egoísmo y de actitudes intolerantes que son causa en nuestros días de ruina moral, desolación y de tristeza.

Federico López

La crucifixión de Cristo.

ORACIONES GENERALES

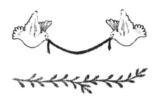

Para persignarse

En el nombre del Padre ✝ , del Hijo ✝ y del Espíritu Santo ✝. Amén.

De apertura

Abre mis labios, Señor, y anunciaré tu alabanza.

    R. Atiende a mí, y sin tardanza dame tu auxilio y favor.

    V. Gloria al Padre ✝, al Hijo ✝ y al Espíritu Santo ✝.

    R. Así como era en un principio, sea ahora y siempre, y en los siglos de los siglos. Amén.

Padre Nuestro

Padre Nuestro que estás en el cielo,
santificado sea tu Nombre;
venga a nosotros tu reino;
hágase tu voluntad
así en la Tierra como en el Cielo;
dános hoy el pan de cada día
y perdona nuestras deudas
así como nosotros perdonamos
a nuestros deudores ;
no nos dejes caer en tentación,
líbranos y guárdanos
de todo mal. Amén.

Ave María

Dios te salve María, llena eres de Gracia,
El Señor es contigo.
Bendita tú eres. Entre todas las mujeres,
Y bendito sea el fruto de tu vientre, Jesús.
Santa María, Madre de Dios
Ruega por nosotros los pecadores,
Ahora y en la hora de nuestra muerte. Amén.

Credo

Creo en un solo Dios, Padre Todopoderoso,
Creador del Cielo y de la Tierra.
Creo en Jesucristo, su único Hijo,
Señor nuestro, que fue concebido
Por el Espíritu Santo.
Y nació de Santa María Virgen.
Padeció bajo el poder
De Poncio Pilato.
Fue crucificado, muerto y sepultado.

Descendió a los infiernos.
Y al tercer día resucitó de entre los muertos.
Subió a los cielos.
Y está sentado a la diestra de Dios Padre
Todopoderoso.
Desde allí ha de venir a juzgar
A los vivos y a los muertos.
Creo en el Espíritu Santo,
La Santa Iglesia Católica,
La comunión de los Santos,
El perdón de los pecados.
La resurrección de la carne y
La vida eterna. Amén.

Yo Pecador

Yo pecador, me confieso a Dios Todopoderoso,
A la bienaventurada siempre Virgen María,
Al bienaventurado san Miguel Arcángel,
Al bienaventurado san Juan Bautista,
Al bienaventurado Señor San José,
A los santos apóstoles san Pedro y san Pablo
Y a todos los santos, y a vos, Padre,
Que pequé gravemente,
Con el pensamiento, palabra obra:
Por mi culpa, por mi culpa, y por mi grande culpa.
Por tanto ruego a la bienaventurada
Siempre virgen María,
Al bienaventurado san Miguel Arcángel,
Al bienaventurado san Juan Bautista,
Al bienaventurado Señor San José,
A los santos apóstoles san Pedro y san Pablo
A todos los santos y a vos, Padre,
Que roguéis por mí a Dios Nuestro Señor. Amén.

Salve

Dios te salve, Reina y madre de misericordia,
Vida y dulzura y esperanza nuestra.
Dios te salve.
A ti llamamos los desterrados
Hijos de Eva.
A ti suspiramos, gimiendo y llorando
en este valle de lágrimas
¡Ea, pues!, Señora abogada nuestra,
vuelve a nosotros esos tus ojos
misericordiosos.
Y después de este destierro
Muéstranos a Jesús,
Fruto bendito de tu vientre.
¡Oh clementísima, oh piadosa,
oh dulce Virgen María!
Ruega por nosotros
Santa madre de Dios
Porque seamos dignos de alcanzar las promesas
De Jesucristo nuestro Señor. Amén.

Al Ángel de la guarda

Ángel de la guarda, mi dulce compañía,
No me desampares ni de noche ni de día;
No me dejes solo, que me perdería.
No me dejes vivir, mucho menos morir
En pecado mortal.

Gloria al Padre

Gloria al Padre ✚, gloria al Hijo ✚, gloria al Espíritu Santo, así como en un principio, ahora y siempre, por los siglos de los siglos. Amén.

Oraciones de los días

Domingo

Líbrame, Señor, yo te lo ruego de todo corazón, de cuantos males pasados, presentes y futuros, tanto del alma como del cuerpo, puedan aquejarme, concediéndome por vuestra bondad la paz, la salud, la tranquilidad y cuanto pueda redundar en honra y gloria nuestra. Séme propicio, Dios y Creador mío, y dame la paz y la salud durante mi vida, haciendo que ésta tu criatura logre siempre estar asistida del socorro de tu misericordia y que no sea jamás esclava del pecado ni del temor de ninguna turbación; por el mismo Jesucristo tu Hijo, Nuestro Señor ✛ que siendo Dios vive en la Unidad del Espíritu Santo por todos los siglos de los siglos. Así sea. Que la paz celeste, Señor ✛ sea siempre conmigo. Así sea.

Que esta paz celeste, Señor ✛, que has dejado a tus discípulos, permanezca siempre firme en mi corazón y sea siempre entre mis enemigos y yo como muralla infranqueable. Que la paz Señor ✛; su cara, su cuerpo y su sangre me ayuden y protejan mi ánima y mi cuerpo. Así sea. Cordero de Dios ✛, nacido de la Virgen María, que al estar en la cruz has lavado al mundo de sus pecados, ten piedad de mi alma y de mi cuerpo; Cristo, Cordero de Dios ✛, inmolado por el bien del mundo, ten piedad de mi alma y de mi cuerpo; Cordero de Dios ✛, por el cual todos los fieles han sido salvados, dame tu paz eterna así en la vida de la muerte como en la muerte de la vida. Así sea.

Lunes

¡Oh, gran Dios! Por quien todo se ha librado, líbrame del mal. ¡Oh, gran Dios!, que has concedido tu consuelo a todos los seres, otórgamelo a mi también. ¡Oh, gran Dios!, que has socorrido y asistido a quien te ha suplicado, ayúdame y socórreme en todas mis necesidades, miserias, empresas y peligros: líbrame de todos los obstáculos que me pongan mis enemigos, tanto visibles como invisibles, en el nombre del Padre ✛, que ha creado el mundo entero; en el nombre del Hijo ✛, que lo ha redimido; en el nombre del Espíritu Santo ✛, que ha cumplido la ley en toda su perfección: yo me inclino ante tus pies y me acojo a tu protección. Así sea. Que la bendición de Dios Padre ✛, cuya sola palabra ha hecho todo, sea siempre conmigo; que la bendición de Nuestro Señor Jesucristo, Hijo de Dios vivo ✛, sea siempre conmigo; que la bendición del Espíritu Santo ✛, con sus siete dones, sea siempre conmigo; que la bendición de la Virgen María ✛, con su Hijo divino, sea siempre conmigo. Así sea.

Martes

¡Oh, Dios creador, salvador y glorificador! Haz, Señor, que la bendición de los santos Ángeles, Arcángeles, Virtudes, Poderes, Tronos, Dominaciones, Querubines y Serafines sean siempre conmigo ✛. Amén. Que la bendición de todos los cielos y la de Dios ✛, sean siempre conmigo. Amén. Que la bendición de los Patriarcas, Profetas, Apóstoles, Mártires, Confesores, Vírgenes y de todos los Santos ✛ sea siempre conmigo. Amén. Que la majestad de Dios Todopoderoso ✛ me sostenga y proteja; que su bondad eterna me conduzca; que su caridad sin límites me inflame; que su divinidad suprema me guíe; que el poder del Padre ✛ me conserve y fortifique, porque el Padre es paz; que la sabiduría del Hijo ✛ me vivifique y esclarezca, porque el Hijo es la vida; que la virtud del Espíritu Santo ✛ me consuele y alivie porque el Espíritu Santo es la salud. Que la divinidad de Dios me bendiga; que su piedad me dé ánimo, que su amor me conserve; que esté siempre entre mis enemigos visibles como invisibles. Así sea. ¡Oh, Jesucristo, hijo de Dios vivo, ten piedad de este pecador! Amén.

Miércoles

¡Oh, Manuel! Defiéndeme contra el enemigo común y malo, y contra todos mis enemigos visibles e invisibles, y líbrame del mal. Jesucristo rey ✝, vino en paz y la guerra encendida de su casa es la paz de las almas que nunca la conocieron. Jesucristo triunfa, Jesucristo reina, Jesucristo manda; que Jesucristo me aleje de todo mal y dé la paz que ansío ✝. He aquí la cruz de nuestro Señor Jesucristo ✝. Huyan, pues, mis enemigos a su vista, que el León de la Tribu de Judá ha triunfado; raza de David, Aleluya, Aleluya, Aleluya. Salvador del mundo, sálvame por tu preciosa sangre; socórreme por tu cruz bendita ✝. Dios misericordioso, Dios inmortal, sé mi guía, protégeme Dios mío. ¡Oh *Agios Otheos* ✝, *Agios Ischyros* ✝, *Agios Athanatos* ✝, *Eleyson Himas,* Dios Santo, Dios Fuerte, Dios Misericordioso e inmortal, tened piedad de mí, que soy criatura vuestra; sed mi sostén y mi guía, Señor, no me abandones, no desoigas mis plegarias; Dios de mi salvación, ayudame siempre. Dios mío, Amén.

Jueves

Ilumina mis ojos con la verdadera luz, a fin de que no permanezcan cerrados en el sueño eterno, por temor de que mi enemigo pueda decir que me ha aventajado. En tanto que el Señor esté conmigo, no tendré que temer la maldad de mis enemigos. ¡Oh, dulcísimo Jesús!, consérvame, ayúdame, sálvame. Qué sólo al pronunciar el nombre de Jesús ✝ toda rodilla se doble, tanto celeste como terrestre y como infernal, y que toda lengua publique que Nuestro Señor Jesucristo ✝ goza de la gloria de su Padre ✝. Así sea. Sé perfectamente y ni siquiera lo pongo en duda, que el día en que invocare al Señor ✝, en aquel mismo instante seré salvado. Dulcísimo Señor Jesucristo ✝ Hijo Amado del gran Dios vivo, que haz hecho tantos y tan grandes milagros por la sola fuerza de tu preciosísimo nombre y haz enriquecido abundantemente a los pobres, puesto que, ante El y por la sola virtud, los ciegos veían, los sordos oían, los mudos hablaban, los leprosos se veían sanos, los enfermos curaba y los muertos resucitaban; porque tan pronto como se pronunciaba tan dulcísimo nombre, el oído se sentía encantado y rejuvenecido y la boca llena de cuanto hay de más agradable en este mundo, y con sólo pronunciarlo y todas las tentaciones, aún las peores, desaparecían; todos los demonios huían y todas las enfermedades eran curadas; todas las disputas y luchas de la vida, lo mismo las de la carne como las del diablo se disputaban, sintiéndose el alma llena de todos los dones celestiales; porque cualquiera que invoque el Santo Nombre de Dios ✝, será salvado; ese Santo Nombre ✝, sí, pronunciado por el Ángel antes de que Jesús fuera concebido en el seno de la Santa Virgen, y que será alabado y ensalzado por los siglos de los siglos. Amén.

Viernes

¡Oh dulce Nombre! Nombre de Jesús ✝, nombre de la vida, de la salud, de la alegría, del bien, del amor; nombre precioso, regocijador, glorioso y agradable; nombre que fortifica al pecador; nombre que salva, conduce, gobierna y conserva todo. Haz piadosísimo Jesús ✝, que por la fuerza de ese dulcísimo Nombre se aleje de mi el demonio. Ilumíname, Señor ✝, pues estoy ciego; disipa mi sordera; enderézame, pues soy cojo; devuélveme la palabra, pues soy mudo; cura mi lepra, devuélveme la salud y, en una palabra, resucítame, pues estoy muerto.

Dame la vida y rodeame por todas partes, a fin de que abroquelado y fortificado con ese Santo Nombre ✝ viva siempre en ti, alabándote y honrándote, por cuanto todo te es debido y eres el más digno de gloria. Piadosísimo Jesús ✝, concedeme los bienes y la tranquilidad que gozan tus elegidos, y haz que huya el demonio de mi lado; curame las enfermedades que padezco, físicas y morales, y bendeciré tu Nombre ✝ con la misma fe que ahora lo hago, sin saber si soy digno de tu piedad. Siempre estas en mi corazón, aunque no me compadezcas, y estoy seguro de que, con mi adoración, aunque no me oigas, si no gozo por lo menos no sufriré, porque el demonio huirá de mí, por no escuchar sin rabia y desconsolado mi plegaria hacia ti, llena de humildad y cariño. Bondad

tan santa como la tuya no dejará de extenderse hasta este pecador que te ruega y suplica con toda su alma, corazón y vida, lo tomes bajo tu protección y amparo, para que sea libre de tentaciones y pueda vivir y morir en tu Santa gracia ✛. Amén.

Sábado

Jesús, Hijo de María, Salvador del mundo ✛, que el Señor me sea propicio, dulce y favorable; que me acuerde un espíritu sano y recto para rendirle el vasallaje que le es debido, a El que es el libertador del mundo. Nadie podía poner la mano sobre Él, porque su hora no había llegado: El que era, que es y que será siempre Dios y hombre, principio y fin. Que esta plegaria que te dirijo me garantice eternamente contra mis enemigos. Amén. Jesús de Nazareth, Rey de los Judíos y Redentor del Mundo ✛, mira a esta alma infeliz que se humilla ante ti y se cree todavía indigna de arrodillarse ante excelsitud tan grande y dame la paz que ansío. Amén.

Ten piedad de mi, que soy un pobre pecador y miserable criatura. Condúceme con arreglo a tu dulzura por las vías de la salvación eterna. Amén. En el tiempo que el buen Jesús cumplía su misión redentora sobre la Tierra, los sacerdotes judíos que no llegaron a comprenderle mandaron emisarios para que lo aprehendieran. Y Jesús, sabiendo los sucesos que debían acaecerle, se acercó a ellos y les dijo: —¿A quién buscan? Y ellos respondieron: —A Jesús de Nazareth. Y Jesús les contestó: —Yo soy. Y cuando Judas que estaba entre ellos y debía entregarle, les dijo que era El, todos cayeron por tierra. —A quién buscan?, volvió a preguntarles Jesús, y como ellos contestaran que a Jesús de Nazareth, Jesús les respondió: —Ya os he dicho que soy yo, y si es a mí a quien buscan, dejen marchar a aquéllos (refiriéndose a sus discípulos). Y Jesús pasó por entre medio de ellos sin que nadie osara poner su mano impía sobre Él, porque su hora no había llegado. La lanza, los clavos, la cruz, las espinas que haz sufrido prueban, Señor, que haz borrado y expiado los crímenes de los miserables. Presérvame, Señor Jesucristo, de las emboscadas que me preparan mis enemigos, pues tus cinco llagas me sirven continuamente de remedio. Jesús es la estrella ✦, Jesús es la vida ✦; Jesús ha sufrido ✦; Jesús ha sido crucificado ✦; Je-sús, Hijo de Dios vivo, ten piedad de mí ✦. Amén.

Estas oraciones deben rezarse el día a que corresponda cada una de ellas.

Otras oraciones para los días

Domingo

Sacerdote sumo y Pontífice verdadero, Jesucristo, que te ofreciste al Padre en oblación pura e inmaculada en el altar de la Cruz por nosotros miserables pecadores, y que nos diste tu Carne como alimento y tu Sangre como bebida, que pusiste este misterio bajo el poder del Espíritu Santo diciendo: "Cuantas veces hagas esto, háganlo en memoria mía": te ruego, por esta admirable e inefable caridad, que a nosotros miserables, a quienes te has dignado amar, laves nuestros pecados en tu Sangre.

Enséñame a mí, tu indigno siervo, a tratar este misterio con el honor y reverencia, devoción y temor que se requiere y conviene. Haz que por tu gracia, en este santo misterios, siempre crea y confiese, sienta y afirme, diga y piense, lo que a Ti te agrada y a mi alma aprovecha. Entren los dones de tu Espíritu Santo en mi corazón, que exprese lo que El señala, pues sin ruido de palabras comunica toda la verdad.

Por tu gran misericordia y clemencia concédeme participar en esta Misa con mente limpia y corazón puro. Libra mi alma de todos los pensamientos vanos y nocivos, inmundos y nefandos. Envíame la custodia fiel y piadosa de tus ángeles, para que no se acerquen mis enemigos. Por la fuerza de tu gran misterio y por la acción de tus ángeles, líbrame de los malos influjos del espíritu de soberbia y de gula, envidia y blasfemia, fornicación e inmundicia, duda y debilidad. Sean confundidos los que nos persiguen, perezcan aquellos que se apresuran a perdernos, amén.

Lunes

Rey de las vírgenes, que amas la castidad y la integridad, extingue en mi cuerpo el incendio de la impureza con la bendición del rocío celestial, para que permanezca en mí la limpieza del cuerpo y del alma.

La Ascensión de Cristo Jesús al Cielo.

Apaga en los miembros de mi carne los estímulos de las conmociones libidinosas y dame la verdadera y perpetua castidad, junto con tus otros dones: para que sea digno de participar en este sacrificio de alabanza con un cuerpo casto y un corazón limpio.

¡Con cuánta contrición interior, lágrimas, reverencia y temor, con cuánta castidad de cuerpo y pureza de alma, debe ser ofrecido este sacrificio, en el que tu Carne verdaderamente se come, tu Sangre verdaderamente se bebe, en el que se juntan el Cielo y la Tierra, donde están presentes los ángeles, donde Tú admirable e inefablemente eres sacerdote de tu mismo sacrificio!

Martes

¿Quién podría participar dignamente en este sacrificio, si Tú, Señor, Dios omnipotente, no lo hiciera digno?

Sé, Señor, y lo sé con certeza, y lo confieso ante tu misericordia, que no soy digno de acercarme a tan gran misterio, porque son muchos mis pecados e incontables mis negligencias.

Pero sé, y lo creo verdaderamente con todo mi corazón, y lo confieso con mis labios, que Tú puedes hacerme digno, ya que puedes hacer limpio lo que procede de semilla inmunda, y hacer de los pecadores justos y santos.

Por este tu infinito poder, te ruego, Dios mío, que me concedas a mí, pecador, participar en este sacrificio con temor y temblor, con pureza de corazón y alma contrita, con alegría espiritual y gozo del cielo. Haz que mi mente sienta la dulzura de tu beatísima presencia, y que el coro de tus ángeles permanezca a mi alrededor.

Miércoles

Yo, Señor, trayendo a mi memoria tu Sagrada pasión, me acerco a tu altar, y, aunque pecador, quiero ofrecerte el sacrificio que Tú instituiste, y que mandaste que fuera ofrecido, en tu recuerdo, para nuestra salvación. Te pido, altísimo Dios, que lo recibas, por tu Iglesia Santa y por el pueblo que rescataste con tu sangre.

Y aunque no posea yo el testimonio de mis buenas obras, ofrezco a Ti, Dios Padre todopoderoso, la víctima siempre grata a tu presencia. Te la ofrezco, Dios mío, para que mires benigno los sufrimientos de los hombres, las necesidades de los pueblos, los gemidos de los cautivos, las miserias de los huérfanos, las aflicciones de los peregrinos, la inopia de los débiles, los dolores de los enfermos, las molestias de los ancianos, los votos de las vírgenes y los lamentos de las viudas, así sea.

Jueves

Tú, Señor, que eres compasivo y nunca desprecias nada de lo que creaste, acuérdate de la pobreza de nuestra condición, y ya que Tú eres nuestro Padre, que eres nuestro Dios, no te aíres con nosotros, antes bien, apaga la multitud de tus enojos.

Nos postramos en tu presencia, accediendo no a nuestros méritos sino a tu gran misericordia. Arranca de nosotros las iniquidades, y enciende en nuestro interior el fuego de tu Espíritu Santo. Quita de nuestro pecho el corazón de piedra, y danos un corazón de carne, que te ame, te anhele, te desee, te siga y te goce.

Imploramos, Señor, tu clemencia; muestra tu rostro sereno sobre tu familia que hoy te ofrece este sacrificio, para que así ningún deseo sea vano, ninguna petición desoída, y con tu misma plegaria, recibe propicio nuestros deseos, para que tengan su cumplimiento. Amén.

Viernes

Te ruego, Señor, Padre Santo, por las almas de todos los fieles difuntos, y haz que este sacrificio sea para ellas motivo de salvación, salud, gozo y refrigerio.

Señor, Dios mío, haz que hoy alcance el pleno alimento de Ti, pan vivo, que descendiste del cielo para la vida del mundo, de tu Carne santa y bendita. Cordero inmaculado, tomada del vientre santo y glorioso de la bienaventurada Virgen María concebido por el Espíritu Santo; de esa Carne que, abierta por la lanza del soldado, brotó una fuente de piedad: para que, las almas de los difuntos, restablecidas y sanadas, alentadas y consoladas, se alegren en la alabanza de tu gloria.

Imploro, Señor, tu misericordia, para que sobre este pan que será sacrificado, descienda la plenitud de tus bendiciones y la santificación de tu divinidad. Haz que descienda también, Señor, sobre este sacrificio, la invisible e incomprensible majestad de tu Santo Espíritu, como descendía sobre los sacrificios de nuestros padres, para que ofrezca la oblación de tu Cuerpo y de tu Sangre.

Haz que aprenda a tratar este misterio con corazón limpio y lágrimas de devoción, con reverencia y temor, y así recibas con beneplácito el sacrificio que se ofrece por la salvación de vivos y difuntos.

Sábado

Te ruego, Señor, por el sacrosanto misterio de tu Cuerpo y de tu Sangre, que sea yo diariamente apacentado y alimentado, purificado y santificado, y consiga así ser hecho partícipe de la una y suma divinidad.

Dame tus santas inspiraciones con las que, colmada mi alma, me acerque a tu altar, y así sea para mí este sacramento celestial salud y vida. Tus mismos labios dijeron: "El pan que yo os daré es mi carne, para la vida del mundo. Yo soy el pan vivo, que ha bajado del cielo.

El que coma este pan, vivirá para siempre": Pan dulcísimo, ablanda la dureza de mi corazón para que sienta la suavidad de tu amor. Sánalo de toda enfermedad, y que no busque otra dulzura fuera de Ti. Pan suavísimo, que tiene en sí todo deleite y todo sabor, que siempre nos sacia y nunca nos defrauda: quiero que mi corazón te reciba y todo mi ser se llene de tu dulce sabor. Te recibe el ángel con pleno deseo, te recibe el hombre peregrino para no desfallecer.

Pan santo, Pan vivo, Pan inmaculado, que descendiste del cielo y das la vida al mundo, ven a mi corazón y límpialo de toda mancha de la carne y del espíritu. Entra en mi alma, sana y limpia mi exterior y mi interior. Sé mi alimento y la salud de mi alma y de mi cuerpo. Repele los ataques de mis enemigos, para que llegue hasta Ti por un camino recto, donde, no en imágenes —como en el tiempo presente— sino cara a cara, te contemplemos con tu Dios y Padre, con quien eres Dios de todo y de todos. Ahora, pues, sáciame con tu maravillosa abundancia para que nunca desfallezca, Tú, que con el mismo Dios Padre y el Espíritu Santo vives y reinas por los siglos de los siglos. Amén.

Oración al Santo del día

Bienaventurado santo N...., bajo cuya protección está este día, en que la Iglesia hace conmemoración de tu vida y muerte: yo te suplico con toda humildad intercedas con Jesucristo, mi Dios y Redentor, para que en el curso de él no cometa culpa alguna, dirigiendo mis acciones y pensamientos hacia lo más justo y recto. Amén.

Oración para la mañana al levantarse

Gracias te doy, ¡oh Dios mío! Que me has dejado ver la luz del día de hoy, y poder gozar de esa infinidad de maravillas que la magnificencia de tu poder infinito ha derramado con tanta profusión sobre los cielos y la Tierra. Tú eres el solo Santo, el solo Sabio, el Dios Omnipotente y Eterno, la bondad suma, fuente de la piedad y la misericordia, y el absoluto dueño de todo lo creado. A Ti te amor Señor, te alabo, te adoro, te bendigo y te doy infinitas gracias por los innumerables

beneficios que he recibido de tu santísima mano. Me propongo en cambio ser obediente a tu santa ley, y no hacer nada que pueda ofenderte. A Ti acudo ¡oh piadosísima Virgen María! Para que me ayudes a cumplir este propósito y guíes mis pasos en este día, a fin de que no haga nada que pueda desagradar a tu divina Majestad. Amén.

Otra oración de la mañana

Salmo 5

Presta oído a mis palabras, Señor;
Atiende a mi gemido.
Advierte a la voz de mi oración,
¡Rey mío y Dios mío!
Pues a ti me encomiendo,
Señor; de mañana oyes mi voz;
De mañana te presento mis plegarias, y espero.
Porque no eres Tú Dios a quien agrade la maldad;
El maligno no mora en tu casa,
Ni los impíos comparecen delante de Ti.
Aborreces a todos los que perpetran crímenes;
Destruyes a todos los que perpetran crímenes;
Destruyes a todos los que hablan mentira.
Al varón sanguinario y artero
Lo abomina el Señor.
Mas yo por la muchedumbre de tu gracia,
Penetré en tu casa,
Me prosternaré ante tu santo templo
En tu temor,
Señor. Guíame en tu justicia, por causa de mis enemigos,
Guíame en tu justicia, por causa de mis enemigos,
Allana tu camino delante de mí....

Oración para el éxito en nuestras labores diarias

Tú eres, oh Señor, el foco de luz, el faro luminoso a donde camina mi alma. Yo soy una mariposa fugaz que revolotea hacia tu luz eterna y al fin caigo abrasada en tu esencia Divina. Tu luz llega a mí e inunda todo mi ser al igual que la luz del foco ciega en su abrazo amoroso a la mariposa multiforme. Dios mío, esa luz brillante que de Ti recibo crea en mí un fuego de amor tan hermoso que me inundo de una gratitud sublime.

Hoy, Dios mío, miles y miles de seres al igual que yo, habrán de marchar a múltiples quehaceres para ganar el sustento de cada día. El maestro irá a iluminar la sabiduría del cerebro de sus niños y tus niños. maestro de todos; la enfermera cumplirá su sacerdocio al lado del enfermo, la obrera irá al taller a hilvanar con el sudor de su frente la ropa de su hijo y amasar la harina para el sustento de sus seres del alma; el obrero, el conductor, el comerciante, el agricultor, el humilde jornalero y el insigne capitalista: todos partimos a nuestras labores con el pensamiento puesto en nuestros hijos, padres o hermanos; y nuestra fe cristiana y pura puesta en tu infinita misericordia y en tu gran sabiduría, Señor.

Haz, Padre de las Misericordias, nuestro brazo fuerte, nuestro cerebro claro, nuestro espíritu alegre y comprensivo para todos en nuestro trabajo; para que así podamos llevar el pan nuestro de cada día hasta nuestros hogares.

Danos, Señor, la habilidad necesaria para conseguir con nuestro esfuerzo, el sustento para nuestro hogar, teniendo únicamente la honradez, la rectitud, la armonía y el esmero como divisa de nuestras acciones. Que con la salud de nuestros cuerpos y la claridad de nuestras mentes, séamos nosotros mismos los que podamos llevar el alimento a nuestros hogares y podamos repartir abundante felicidad entre nuestros seres amados.

No nos faltes, Señor, no nos faltes; acompaña a cada ser en su camino al trabajo. Ven en el día de hoy a mi lado, para que con el esfuerzo de todos se cumpla Tu voluntad aquí en la Tierra como en el cielo. Amén.

Plegaria nocturna

Señor misericordioso, acompáñanos a través de esta noche, y permite que la luz de tu amor ilumine las horas tenebrosas. Vela sobre los seres que amamos, ya estén cerca o lejos, y protégelos en el momento de peligro.

Haz que el calor de tu presencia cure las heridas sufridas durante el día que acaba de pasar, concede a la mente descansar en calma.

Expulsa del alma los temores y la sensación de soledad, ya que tan cerca estás. Bendícenos con sueño reparador y renueva nuestras energías para enfrentarnos con los deberes del día que en breve despuntará.

Dios de bondad, de quien recibe auxilio aquel que lo busca, fortalece al enfermo, alegra al triste, y alumbra el sendero del perdido esta misma noche, por amor de Jesucristo, el Amigo del enfermo, del solitario y del desorientado. Capacita los oídos del alma para percibir las cadencias celestiales de tu voz para que cuanto Tú nos digas, sea transformado en hechos con espíritu radiante...

Padre eterno, que tu paz perfecta inunde el corazón, hoy mismo, mañana y a través de los resplandores y tinieblas de la vida, hasta llegar a la refulgencia de la eternidad, la bendición suprema que anhelamos. Escucha esta humilde plegaria en tu gran misericordia y sosténnos en tu amor, perdonando toda deficiencia. Eleva nuestras aspiraciones y perfecciona nuestra actuación, día tras día. Amén.

Otra oración a nuestro Señor Jesucristo

Ven, Señor Jesús, única salvación de mi alma, e infunde en mi pecho la multitud de tus dulzuras, para que nada ame y nada desee fuera de Ti. Ven, mi alegría y felicidad; ven esperanza y fortaleza mía, porque contigo están la gloria y las riquezas, la paz y el paraíso. Ojalá que, viniendo Tú a mí, se conviertan en amargura para mí todas las delicias del mundo, a fin de que unido contigo en este convite celestial, no me separe de Ti nunca jamás. En vano gastaría dinero en panes, mi esfuerzo en saciarme, aunque adquiriese todos los alimentos de Egipto, si careciera de este pan, que regala delicias a los reyes, y me viese privado de tu vino, cuya suavidad excede infinitamente a todos los deleites de este siglo. ¿De dónde a mí tanto bien que merezca comer contigo, rey de tremenda majestad, yo que soy indignísimo siervo tuyo, que, incorregible, caigo en pecado cada día? Pero tu misericordia es incomparablemente mayor que mi miseria; Tú, dulcísimo alimento mío, me transformas en otro hombre, y la virtud de tu palabra sana todas mis enfermedades.

Vengo a Ti confiado en tu amor, y en Ti espero no ser confundido. Alegra el alma de tu siervo y suple lo que falta en mí, benignísimo Salvador, que te has dignado llamar a todos diciendo: "venid a Mí todos los que andáis agobiados con trabajos y cargas que yo os aliviaré". Alíviame Tú, porque en Ti residen todas las delicias del cielo, del abundantísimo río que brota de las alegrías de Dios con tanta plenitud, que todos los que dignamente se acercan a Ti quedan llenos de una delicia inexplicable. Une contigo mi alma íntimamente, y hazme digno de que me siente, debidamente revestido de virtudes, en esta mesa más que celestial y dulcemente goce de la divinidad presente en ella. Amén.

Oración al Espíritu Santo

Ven, Espíritu Santo, Amor del Padre y del Hijo, que borras los pecados, que curas las heridas, que eres fortaleza de los frágiles, consolador de los afligidos, luz de la inteligencia y protector de la libertad. Ven desde la patria de la felicidad y penetra en lo más hondo de mi corazón, para consumir con tu fuego todos mis vicios y mis defectos y perdonarme todos mis pecados. Envía a mi alma el haz

centelleante de tu luz, que iluminando mi inteligencia, me haga ver las cosas que a Ti te agradan; y que, inflamando mi voluntad, me haga buscar la virtud. Hazme digno ministro de los sagrados altares, y difunde en mí el torrente de tu dulzura, para que, saboreada la suavidad celestial en esta divinísima mesa, no quiera gustar nada de la venenosa dulzura del mundo. Que tu espíritu septiforme me llene y me haga mejor. Hazme llegar a aquel grado de sabiduría, al cual tuvo acceso tu Apóstol cuando decía que él no conocía nada, "sino a Cristo, y a Cristo crucificado". Robustece mi debilidad con tu fortaleza, venza tu bondad mi malicia y mi fealdad adórnese con tu belleza. Levántame por el deseo de lo eterno, úneme contigo por la unidad del amor, consérvame por la perseverancia final, para que, guiada por Ti, vuelva mi alma a Ti, que eres su principio y su fin, del cual nunca se vea separada. Amén.

Salmo 4

"Alegría que da la confianza en Dios"

Cuando te invocare, escúchame, Dios de mi justicia,
Que en la tribulación me aliviaste;
Apiádate de mí, y escucha mi oración.
Realizaré sacrificios justos y esperaré
¿Quién nos mostrará los bienes?
¡Alza sobre nosotros, Señor, la luz de tu rostro!
Diste a mi corazón una alegría
Mayor que cuando abundan en trigo y en vino.
En paz, no bien me acuesto, estoy dormido,
Porque Tú solo, Señor,
Me infundes seguridad.

Salmo 8

"Majestad de Dios y dignidad del hombre".

¡Señor, Dueño nuestro, cuán admirable es tu nombre en toda la tierra, pues ensalzaste tu majestad sobre los cielos!
De la boca de infantes y lactantes preparaste alabanza contra tus adversarios para refrenar al enemigo y al rebelde.

Cuando miro tus cielos, obra de tus dedos, la luna y las estrellas que
Tú formaste, digo:
—¿Qué es el hombre, que te acuerdas de él, o el hijo del
hombre, que cuidas de él?
E hicístele poco menor que los ángeles; de gloria y honor lo
coronaste:
Dístele poder sobre las obras de tus manos; todo lo sujetaste
debajo de sus pies:
Ovejas y bueyes todos, además las bestias del campo.
Las aves del cielo y los peces del mar; todo cuanto surca las sendas
de los mares.
Señor, Dueño nuestro, ¡cuán admirable es tu nombre en toda la
tierra!

Salmo 10

Confianza impertérrita en el amparo divino.

Al señor me acojo; ¿cómo decís a mi alma: "vuela al monte como
un ave?
Porque, ves, los pecadores entesan el arco, ponen su saeta sobre
la cuerda para asaetear en la sombra a los rectos de corazón.
Cuando los cimientos se socavan, ¿qué puede hacer el justo?"
El Señor está en su santo templo; el Señor, en el cielo, su trono.
Sus ojos observan: sus párpados escudriñan a los hijos de los
hombres.
El Señor escudriña al justo y al impío; al que ama la iniquidad, a
ese lo aborrece su alma.
Lloverá sobre los pecadores carbones encendidos y azufre; viento
abrasador será la porción de su copa.
Porque justo es el Señor, ama la justicia, los rectos verán su faz.

Salmo 22

"Oveja del Buen Pastor: huésped en la casa de Dios"
El señor me apacienta: nada me falta;
En verdes pastos me hace recostar
Me conduce a las aguas donde descanse;
Restaura mi alma.

Guíame por senderos rectos,
Por amor de su nombre.
Aunque camine en valle tenebroso,
No temeré mal alguno, porque Tú estás conmigo.
Tu vara y tu cayado:
Esos me consuelan.
Prepárame una mesa
A la vista de mis enemigos;
Unges con óleo mi cabeza,
Mi copa está rebosante.
La benignidad y la gracia me acompañarán
Todos los días de mi vida,
Y habitaré en la casa del Señor
Por muy largos años.

Salmo 89

Eternidad de Dios: brevedad de la vida humana

Señor, Tú fuiste nuestro refugio
De generación en generación.
Antes de que fuesen engendrados los montes, y
Naciese la Tierra y el orbe
Y desde siempre y para siempre
Eres Tú, ¡Oh Dios!
Mandas que se vuelvan los mortales al polvo,
Y dices: "Volveos hijos de los hombres".
Porque mil años en tus ojos
Son como el día de ayer que pasó,
Y como una vigilia nocturna.
Los arrebatas: son como un ensueño
En tu alborada;
Como hierba verdeante:
A la mañana florece y verdea,

A la tarde la cortan y se seca...
...Enséñanos a contar nuestro días,
para que lleguemos a la sabiduría del corazón.
Vuélvete, Señor
Y sé propicio a tus siervos.
Sácianos pronto de tu misericordia.
Para que nos alborocemos y gocemos todos nuestros días.
Por los años que vimos desventuras,
Manifiéstese a tus siervos tu obra,
Y a sus hijos tu gloria.
Y la bondad del Señor Dios nuestro sea sobre nosotros,
Y favorécenos la obra de nuestras manos;
Sí, favorece la obra de nuestras manos.

Invocación a Dios Poder Supremo

Desde el punto de Luz en la mente de Dios, que afluya luz divina en las mentes de los hombres; que esa luz divina inunde la Tierra.

Desde el punto del Amor en el corazón de Dios, que afluya el amor a los corazones de los hombres.

Que el amor de Cristo se haga sentir en los corazones. Desde el centro donde la voluntad de Dios es conocida, que el propósito suyo guíe la voluntad de todos los hombres; el propósito que el Maestro conoce y sirve.

Desde el centro que llamamos la raza humana, que se cumpla sin más dilación el Plan Divino.

Plan de Amor, Plan de Luz y de Buena Voluntad.

Desde el centro que llamamos el Bien de Dios, que la concordia y la Paz reinen en el corazón de los hombres y sellen la puerta que conduce al mal, al egoísmo y al temor...

Que la Luz, el Amor y la Buena Voluntad restablezcan la armonía en la Tierra.

Que Cristo reine supremo en el corazón de los hombres.

Dios Padre no hizo nada igual con otra nación.

Que haya Paz en la Tierra, y que esa paz comience en la mente y en el corazón de cada ser. Amén.

Gloria

Gloria a Dios en el cielo,
Y en la Tierra paz a los hombres de buena voluntad.
Por tu inmensa gloria,
Te alabamos,
Te bendecimos,
Te adoramos,
Te glorificamos,
Te damos gracias.
Señor Dios, rey celestial,
Dios Padre todopoderoso.
Señor Hijo único, Jesucristo.
Señor Dios, Cordero de Dios,
Hijo del Padre:
Tú que quitas el pecado del mundo,
Ten piedad de nosotros;
Tú que quitas el pecado del mundo,
Atiende a nuestras súplicas;
Tú que estás sentado a la derecha del Padre,
Ten piedad de nosotros:
Porque sólo Tú eres Santo,
Sólo Tú Señor,
Sólo Tú, Altísimo, Jesucristo,
Con el Espíritu Santo
En la gloria de Dios Padre. Amén.

Himno al Creador

¡Oh Creador del esplendoroso firmamento! Que destinaste a la luna para iluminar las noches, y estableciste que el sol, con su ordenado andar, señalase el ritmo de los días, aleja ya la noche lúgubre, renazca el resplandor del Universo, y a un renovado vigor incita el alma a emprender apacibles quehaceres.

El día renacido, invita a cantarte loas y el rostro benigno del cielo sosiega nuestros corazones.

¡Arriba, alejémonos de toda impureza! Que el espíritu rechace toda maldad, que la vileza no empañe la vida, que el pecado no ensucie la lengua.

Que mientras el sol nos da la luz matutina, se avive la fe, se incite la esperanza del reino prometido, la caridad nos una con Cristo.

Plegaria

¡Oh mi Creador y mi Dios! Iluminado por tu resplandor descubro la admirable forma en que estoy hecho. Soy parte del Universo y el Universo está en mí. Tú me has creado y yo permanezco en ti y Tú en mí. Soy parte del Universo que me lleva en su seno y en mi seno llevo al Universo. Soy su hijo, y él se ha convertido en lo que es él; ya que todo lo que vive en el vasto Universo, vive espiritualmente y por lo tanto yo soy Uno con él y no podría existir sin él.

Y Tú, Señor, me has creado a tu imagen y semejanza y me has dado el espíritu: Tú estás en mí y yo en Ti y sin Ti no puedo vivir ni un instante. Todo esto lo veo en Ti y Tú en mí, puesto que mis ojos son los tuyos y mi entendimiento el tuyo, y mis ojos ven lo que Tú ves y no lo que yo quiero ver.

Tú te conoces a Ti mismo a través de mí, es decir; a través de Ti mismo y esta es la causa de mi bienaventuranza pues iluminado por tu Luz, yo puedo verla.

Gloria al Señor

En el principio ya era el Verbo, y el Verbo era con Dios, y el Verbo era Dios. Este era en el principio con Dios. Todas las cosas por Él fueron hechas; y sin Él, nada de lo que es hecho, fue hecho. En Él estaba la Vida, y la vida era la luz de los hombres. Y la luz en las tinieblas resplandece; mas las tinieblas no le comprendieron. Fue un hombre enviado de Dios, el cual se llama Juan. Éste vino por testimonio, para que diese testimonio de la Luz. Aquel Verbo era la Luz reveladora, que alumbraba a todo hombre, que viene a este mundo. En el mundo estaba, y el mundo fue hecho por Él, y el mundo no le conoció. A lo que era suyo vino, y los suyos no le recibieron. Mas a todos los que le recibieron, dióles potestad de ser hijos de Dios, a los que creen en su nombre: los cuales no son engendrados de sangre ni de voluntad de carne, ni de voluntad de varón, mas de Dios y aquel Verbo fue hecho carne y habitó entre nosotros, y vimos su gloria como el unigénito del Padre lleno de gracia y de verdad.

Oración para lograr que la Luz Divina entre a nuestros hogares

A tu morada, Señor, vuela mi pensamiento
Para pedirte bendigas nuestro hogar en el día de hoy.
Oh, Señor, mira cuántas ansias tienen nuestros corazones de tu bendición.
Danos, Padre nuestro,
Una migaja de bondad en cada alcoba,
Una sonrisa de luz en cada puerta,
Un reflejo de pureza en cada ventana.
Venid pronto, Padre y Señor nuestro,
Que nuestros hogares están abiertos de par en par para recibirte.
Manifiesta tu presencia en cada cerebro de todos los miembros de mi familia,
Para que sólo exista la armonía en todo el ambiente;
Y para que las vibraciones en el éter sean siempre de las más puras.
Sobre todo, permite lleguen hasta nuestra morada seres de luz
Que irradien con su influencia vivificadora cada rincón de nuestro hogar.
Dispénsanos, Padre, la visita de aquellos ángeles de luz,
Que simbolizan la caridad suprema.
Que ellos batan sus alas hermosas para bendecir nuestros muebles,
Para purificar nuestro aire,

Para saturar nuestros cuerpos.
No te pediré, que nos eliminen las pruebas que sabemos
Nos son necesarias a nuestro progreso indefinido.
Sólo te pedimos nos des la fortaleza necesaria para afrontar
Los problemas de la vida, tranquilidad espiritual y claridad mental
para comprender esos problemas y la iluminación necesaria
Para no caer en otras tentaciones.
Ilumina también a esos espíritus de causa que se acercan a mi hogar,
haciéndoles ver que haciendo el mal se atrasan
mientras que progresan mucho haciendo el bien.
Haced que otras entidades de luz lleven estos seres
A los centros de instrucción donde deben recibir la orientación
necesaria a su próxima encarnación.
Ilumina pues esos seres equivocados que se acercan a nosotros.
Y Tú Maestro de Galilea, y Tú Maestro Jesús,
Cuyo recuerdo de amor es una luz que llevo
siempre en mi corazón.
Tú que moras en nuestros pensamientos,
Cuando lo emitimos limpio de impurezas.
Tú que en esencia te encuentras en cada una
de nuestras alcobas:
Bendice también nuestro hogar,
Llena luego de fluidos puros nuestro ambiente,
Haz que sólo vibraciones elevadas lleguen a cada rincón.
Ustedes todos, seres del espacio,
Recojan en este momento todas las impurezas
De nuestro hogar.
Actúan lo más pronto posible en su labor
De limpieza espiritual con la seguridad de
Que el Maestro de Galilea está también con nosotros,
Y Dios siempre nos mira con su amor eterno.
Que la energía de Sanidad Divina
Que hoy ha entrado en nuestro hogar
Perdure para siempre. Amén.

Otra oración para lograr la armonía familiar

Dios mío, Dios mío.
¿Qué es la armonía en mi hogar?
¿Es acaso una vibración sublime de fluidos puros?
¿Es la paz, es la fe, la caridad,
es acaso el amor manifestado en el corazón
de cada miembro de mi familia?
Si es así, te pido entonces, Señor,
Mucho amor para cada uno de los miembros
De mi hogar.
Que broten de cada cerebro sólo pensamientos
De unidad y de comprensión entre todos,
Para alejar en esta forma todas las ondas
En el ambiente de color oscuro que
Entorpecen el progreso continuo de mis seres queridos.
En gratitud sublime por el mejoramiento del ambiente
Que se pueda hacer en estos momentos en
Cada alcoba de mi hogar;
Envío, Señor, con toda la fuerza de mi ser,
Un recuerdo de amor y cariño, de comprensión
Y perdón sincero para los seres con
Quienes haya tenido agravios.
Que ellos me perdonen como yo les perdono
De todo corazón.
Tengo ahora, mi corazón limpio de rencor,
Lavada mi alma de sus impurezas en tu fuente
De luz y progreso,
Para unirme en pensamiento a todos los demás
Miembros de mi familia
Para hacerte esta oración sencilla,
Por la armonía y la comprensión entre todos
Los moradores de mi hogar;
Que es tu casa, Señor.
Quiero que Jesús también esté presente en mi hogar

En las prácticas constantes de sus enseñanzas,
En el reconocimiento de su filosofía y la
Práctica obediente de sus mandamientos.
Cristo amado, ven en paz y comprensión
A mis seres queridos.
Haz Dios mío, que estos pensamientos gratos,
Que estos pensamientos dulces,
Que esta nueva claridad, que percibo en mi vida
Se transforme en una fuerza sublime de luz
Que logre esa armonía entre todos
Los miembros de mi familia que tanto
Anhela mi alma.
Que Dios quede entre todos mis seres
Queridos, ahora y para siempre. Amén.

Oración por los niños que van a la escuela

Señor, Padre amoroso de todos los niños,
Gran Arquitecto del Universo,
En el día de mañana se lanzarán a la calle
Miles y miles de almas encarnadas en
Cuerpecitos jóvenes para marchar por
Nuestras calles a percibir el dulce pan
De la enseñanza.
Miles y miles caminarán por las aceras
Y cruzarán nuestras calles
Sin otra mirada protectora que tu amor sublime
Y el cariño que en tu nombre puedan brindarle
Sus ángeles protectores.
Cuida, buen pastor de ese rebaño,
Protege al hijo de las entrañas de las buenas madres,
Ilumina a los conductores de vehículos,
A los transeúntes, a todos,
Para que cada niño vaya día a día a sus estudios
Y vuelva sano de cuerpo y más grande en sabiduría,
En amor al prójimo, en conocimientos de Tu presencia

Perenne en nuestros hogares, en nuestro mundo.
Oye tú, espíritu de protección en el hogar,
Recuerda que esa criatura se te ha dado
Para guiarla y protegerla en su ascensión progresiva
Hacia el reino de la paz.
Su libre albedrío puede ser iluminado en el bien,
Por el sendero de luz,
Con la voluntad de tu pensamiento y con la
Fuerza de tu voluntad.
Cuando veas que una corriente negativa
Hace desviar al sujeto bajo tu protección,
Elévate hacia las regiones celestes
Y clama por la ayuda de otros seres de luz
Y trata nuevamente, de desviar la mente
De tu protegido de ese mar turbulento de
Imperfecciones; dirigiendo hábilmente tu nave
Hacia el faro de Dios.
Sobre todo, no desmayes cuando le veas abatido,
No dudes ante su duda;
No te desalientes ante la falta de interés
Y apatía del ser que debes ayudar.
Ángel de la Guarda, aunque veas a tu niño
Hundirse cada vez más en el camino del mal,
Ten fe y trabaja por él,
Que un día vendrá en que todo ser encuentre
El sendero de la cumbre donde flota
Para siempre nuestra bandera de
Amor, justicia y caridad.
María, madre de Jesús, cuida de los niños,
Ayúdales en su progreso,
Protégeles del mal, dales fe, esperanza y
Caridad y sobre todo dales paz.
Que el buen Jesús os ilumine a todos, y
Nuestro pueblo encuentre siempre el camino
De su única y verdadera felicidad en la

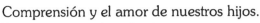

Comprensión y el amor de nuestros hijos.
Dios sea con todos. Amén.

Oración para el hijo rebelde

Invoco, Cristo y Señor mío, tu amorosa protección para mi hijo.
Yo sé que él no puede valerse por sí mismo, él necesita de Ti.
Tú eres su sostén, su guía, su faro de luz.
En tu amoroso seno deposito su destino.
·Yo sé que con tu amor inmenso y el entendimiento de tu presencia
El sendero de su progreso se volverá luminoso,
Las piedras en las luchas de su vida se harán más livianas,
La cruz de sus pruebas será más soportable.
Señor, Señor, nada importan los azotes de mi carne,
O los flagelos a mi alma,
Si tal conviene al mejoramiento material y espiritual de mi hijo.
Hazlo, Señor de bondad, bueno para hacer siempre
La caridad cristiana, humilde para los humildes,
Fuente ante el vendaval de la vida,
Consciente ante el iracundo, paciente ante el tirano,
Y sobre todo, fuerte de voluntad
Ante las tentaciones de los vicios mundanos.
Arranca, Dios mío del corazón de mi hijo
Todo dolor que agobie su espíritu, y
De su alma toda tentación que le incline al mal.
Jesús Redentor, dale de tu humildad a mi niño,
Para que sea así de humilde para con sus padres,
Para con sus hermanos y para con sus
Superiores y mentores.
Hasta ustedes, seres queridos de luz en el espacio,
Hago llegar la vibración sentida de mi voz
Para pedirles que vengan por caridad a proteger
A mi hijo.
Hagan con su voluntad un campo de protección
A esa alma encarnada

Para que ningún pensamiento de mal
Pueda llegar hasta él.
Para que sólo las ondas de luz y de progreso
Le acompañen en esta breve jornada en el
Planeta Tierra.
Señor, yo quiero dar el pan de mi boca
Para que él pueda comer.
Señor, yo quiero dar de la dulzura de mi alma
Para que él aprenda a comprender:
Quiero, Señor, dar de la lámpara de mi cerebro
Para que él sepa entender y amar.
Dios de las Alturas, ayuda a mi hijo,
Protege a mi hijo, acompáñalo siempre
Pues él también es tu hijo.
Por la fe que en ti tengo, sé que habrás de
Hacerlo bueno, humilde y comprensivo.
En tus manos deposito mi alma.
Padre nuestro que estás en los cielos...

Otra oración para pedir por los hijos

Tú eres, Dios mío, el criador el verdadero Padre de mis hijos. Tuyos son, porque me los haz dado y conservado; Tú eres el que ha infundido en ellos el alma y la vida. Te los ofrezco juntamente conmigo; bendícelos, Señor, mientras yo en tu Nombre los bendigo. Me someto de todo corazón a todas las disposiciones de Tu paternal providencia respecto de mí y de ellos.

Contando, Señor, con Tu palabra, quiero buscar para ellos y para mí, primeramente Tu reino y Tu justicia, dejándonos el cuidado de darnos por añadidura lo que te plazca; pero si me atreviese a determinar algo para su vida temporal, te suplicaría no les des ni riqueza ni pobreza, sin un decente modesto bienestar.

Concédeles, Señor y Dios mío, la verdadera sabiduría y un corazón dócil, imprime en sus almas el horror al pecado, aléjalos del mal, preservalos del contagio del mundo, fórmalos según los preceptos

Dios protege a sus hijos del mal.

de nuestro santo Evangelio; inspírales sentimientos cristianos, dales la sencillez y sinceridad de nuestros hijos y llénalos de nuestro amor.

No permitas, Señor, que yo contradiga jamás, por negligencia, por consejos imprudentes o por malos ejemplos los ruegos que te dirijo para mis hijos. Haz que encuentren en mí el modelo y ejemplo de las enseñanzas que trate de inculcarles. Dame para dirigirles indulgencia sin debilidad, firmeza sin terquedad ni aspereza, y la paciencia evangélica para no airarme ni desalentarme.

Dígnate, Dios mío, ponerlos bajo el amparo de nuestra querida Madre y de su castísimo esposo San José, para que guarden inmaculado el lirio de la pureza que tanto te agrada.

¡Oh, Padre Santo, que me los haz confiado como un depósito sagrado, del que habré de darte rigurosa cuenta! Dígnate regular y dirigir mi afecto hacia ellos, y ayúdame a inspirarles constantemente tu santo temor y amor, a fin de que sean admitidos un día en la morada del cielo. Te lo pido por los méritos de tu amantísimo Hijo Jesús y por la intercesión de su Santísima madre. Amén.

Oración para dar fortaleza a los hijos

Señor, ayúdame a no hacer por mis hijos,
Lo que ellos puedan hacer por sí mismos.
Ayúdame a no darles lo que ellos
Puedan ganarse por sí mismos.
Ayúdame a lograr que crezcan firmes
Sobre sus propios pies,
Y que se conviertan en adultos responsables,
Disciplinados y honestos.

Oración por las madres

Oh Dios, te ofrecemos alabanza y bendición,
Por las dulces tareas de la maternidad
En la vida humana.
Te bendecimos por nuestras propias madres
Que construyeron nuestras vidas con su ejemplo;
Que nos trajeron al mundo con dolor
Y nos amaron más por ello;
Que nos alimentaron con su seno
Y que nos arrullaron para dormir
En la suave seguridad de sus brazos.
Te damos gracias por su amor
Que no se cansa nunca,
Por sus oraciones sin palabras,
Por la agonía con que nos siguieron
A través de nuestros pecados
Y porque nos hicieron volver al buen camino
Con el poder de sacrificio y redención
Que recibieron de Ti.
Te rogamos que nos perdones si en nuestro
Atolondrado egoísmo aceptamos su amor
Como nuestro derecho sin devolverles
La ternura que ellas nos piden
Como única recompensa.
Y si poseemos aún el gran tesoro
Que es la vida de nuestras madres,
Concédenos que las cuidemos
En su ancianidad
En la misma forma en que ellas
Cuidaron de nosotros cuando éramos débiles.
Amén.

Salmo 126

"Bendición de Dios sobre la familia"

Si el Señor no edificare la casa,
En vano trabajan los que la edifican.
Si el Señor no guardare la ciudad
En vano vigila el centinela.
Inútil te es levantarte antes de la luz,
Descansar avanzada la noche,
Los que comen el pan del duro trabajo:
Pues Dios lo da a sus amados en el sueño.
Sábelo: don del Señor son los hijos,
Merced suya es el fruto del vientre.
Como flechas en manos de un guerrero,
Así los hijos de la mocedad.
Dichoso el varón que de ellos llenó su aljaba:
No se sonrojarán cuando litigaren con
Sus enemigos en la puerta.

Salmo 127

"Felicidad del padre de familia"

¡Dichoso tú, cualquiera que temes al Señor,
que andas en sus caminos!
Porque comerás el trabajo de tus manos,
Serás feliz y te irá bien.
Tu esposa, como vid fructífera,
En el interior de tu casa;
Tus hijos, como pimpollos de olivo,
Alrededor de tu mesa.
¡Ved: así es bendecido el varón
que teme al Señor!

Oración para bendecir a los padres

Bendice a mis padres, Señor.

Gracias por la vida que a través de ellos me diste.

Gracias por su enseñanza, por su ejemplo y por su amor incondicional.

Guía su camino y hazles una vida fácil y placentera.

Enséñame a demostrarles mi amor y a ser un apoyo firme en los días de ancianidad.

En tus manos los dejo, Señor.

Salmo 15

Guárdame, ¡oh Dios!, Pues a Tí me acojo;
Digo al Señor: "Tú eres mi Señor:
Ningún bien tengo sin Tí". Hacia los santos que moran en su tierra,
¡cuán admirable hizo todo mi afecto!
El Señor es la porción de mi herencia y de mi copa,
Tú eres quien guarda mi suerte
Cayéronme los cordeles en parajes amenos;
Y me encanta mi heredad.
Bendigo al Señor, porque me dio consejo,
Porque aún de noche me amonesta mi corazón.
Pongo siempre al Señor delate de mí;
Porque El está a mi diestra, no zozobraré.
Por eso se alegra mi corazón y se alboroza mi alma,
Y también mi carne descansará segura.
Porque no dejarás mi alma en el averno
No consentirás que tu santo vea corrupción.
Me enseñarás la senda de la vida,
Abundancia de goces junto a Ti,
Delicias a tu diestra para siempre.

Salmo 27

"Deprecación y acción de gracias"
A Ti, Señor, clamo;
Roca mía, no me seas sordo;
No sea que, si no me oyeres, me asemeje
A los que descienden a la tumba.
Oye la voz de mi plegaria, cuando a Ti clamo,
Cuando alzo mis manos hacia tu santo templo.
No me arrebates con los pecadores
Y con los que obran iniquidad,
Que hablan de paz con sus prójimos
Pero en su corazón tienen maldad.
¡Bendito el Señor, pues oyó la voz de mi súplica
el Señor, mi fortaleza y escudo!
En Él confió mi corazón y fui socorrido:
Por eso se alboroza mi corazón y lo
Alabo con mis cantos.

Salmo 33

Bendeciré al Señor en todo tiempo;
Siempre su alabanza en mi boca.
Gloríese mi alma en el Señor:
Oigan los humildes y alégrense.
Engrandezcan conmigo al Señor;
Y ensalcemos juntos su nombre.
Busqué al Señor; y Él me escuchó,
Y me libró de todos mis temores.
Míralo a Él para alegrarnos,
Y nuestro rostro no se avergüence.
Vélo, el pobre clamó y el Señor le escuchó
Y le salvó de todas sus angustias
El Angel del señor acampa
En torno a los que lo temen,
Y los libra.

Gusten y vean cuán bueno es el Señor;
Venturoso el varón que a Él se acoge.
Teman al Señor y a sus santos,
Pues nada falta a los que le aman.
Los poderosos empobrecieron y hambrearon;
Mas lo que lo buscan, de ningún bien carecerán.
Vengan, hijos, óiganme:
Os enseñaré a amar a Dios,
¿quién es el hombre que ama la vida
y desea todos los días para gozar de bienes?
Refrena tu lengua del mal,
Y tus labios de palabras engañosas.
Apártate del mal y haz el bien,
Busca la paz y síguela.
Los ojos del Señor atienden a los justos,
Y sus oídos su clamor.

Salmo 64

A Ti, ¡oh, Dios!, se debe el himno en Sión, y cúmplase el voto a Ti,
que escuchas las plegarias.
A Ti viene toda carne,
Por razón de las culpas.
Nos oprimen nuestros delitos:
Tu nos los perdonas.
Dichoso aquel a quien eliges y acoges:
Pues habita en tus atrios.
¡Saciémonos de los bienes de tu casa,
de la santidad de tu templo!
Con señales estupendas nos oyes en justicia,
¡oh Dios, salvador nuestro,
esperanza de todos los confines de la Tierra
y de los mares remotos!
Tú que das firmeza a los montes con tu poder,
Ceñido de potencia;
Que amansas el estruendo del mar,

El estruendo de sus olas, y el tumulto de las naciones.
Y temen, por tus portentos, los que moran en los términos
De la Tierra;
Llenas de gozo los confines de Oriente y de Occidente.
Visitaste la Tierra y la regaste;
En gran manera la enriqueciste.
El río de Dios rebosa de agua;
Preparaste sus trigales;
Así, pues, la preparaste:
Regaste sus surcos,
Allanaste sus glebas;
Con las lluvias la ablandaste,
Y bendijiste sus gérmenes.
Coronaste el año con tu largueza,
Y tus huellas destilan abundancia.
Destilan los pastos del desierto,
Y los collados se ciñen de alborozo.
Vístense de rebaños las praderas,
Y los valles se cubren de trigo,
Aclaman y cantan.

Salmo 112

Alabad al Señor.
Alabad, siervos del Señor.
Sea bendito el nombre del Señor
Ahora y para siempre.
Desde el nacer del sol hasta su ocaso,
Alabado sea el nombre del Señor.
Excelso es sobre todas las gentes el Señor;
Sobre los cielos su gloria.
¿Quién como el señor Dios nuestro,
que está sentado en las alturas,
y baja la mirada a cielo y Tierra?
Levanta del polvo al indigente,
Alza del estiércol al pobre,

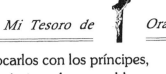
Para colocarlos con los príncipes,
Con los príncipes de su pueblo.
Hace habitar a la que era estéril en casa,
Madre de hijos gozosa.

Salmo 120

Levanto mis ojos a los montes:
¿de dónde me vendrá auxilio?
Mi auxilio vendrá del Señor,
Que hizo cielo y Tierra.
No permitirá que resbale mi pie,
No dormitará el que me guarda.
Mira que no dormitará ni dormirá.
El Señor me guarda,
El Señor me protege en mi lado derecho.
De día no me herirá el sol,
Ni la luna de noche.
El Señor me guardará de todo mal:
Guardará mi alma.
El Señor guardará mi salida y mi entrada,
Ahora y para siempre.

Agradecimiento a Jesús por su intermediación para lograr los bienes materiales

Jesús de Galilea, Cristo, Maestro: perdona que te utilice hoy como mediador para rogarte hagas vibrar en todo el espacio infinito una expresión sublime de amor y gratitud a ese principio original e inteligente, a ese ser inconcebible e ignoto a quien unos le llaman el Absoluto, otros Brahma, otros Alá y nosotros los cristianos le invocamos con el sublime nombre de Dios. Dile Señor y guía espiritual de los mortales, dile a Él que en este día mi corazón está vibrando de amor infinito en gratitud por sus leyes armónicas, perfectas e inmutables de la naturaleza, por la paz hermosa de que hoy goza nuestro mundo, por la salud y el bienestar material de mi familia; y también gracias te doy por haberme dado una nueva luz de progreso universal, de solidaridad, de evolución continua, de la reencarnación del espíritu.

Abogado celestial de la humanidad, dile a nuestro buen Señor de las Eternidades, que mi corazón y los de los demás miembros de mi familia rebosan de emoción, en gratitud por habernos abierto el entendimiento al significado hermoso de tu ley de "Amor al prójimo y adoración a Dios".

Dile a Dios, Cristo de Nazareth, que de nuestra alma brota un canto de amor que se eleva en las regiones celestes por haberte permitido venir a la Tierra, para enseñarnos el único camino y la única verdad. Con Dios y contigo Maestro; estaremos en una renovación de votos. Está Tú en nosotros como nosotros estamos en Ti. Gracias, Señor.

Oración para agradecer el pan de cada día

Señor, junto mis párpados y huyo de la claridad de la luz material. Elevando en esta forma mi pensamiento hasta tu morada, Señor de las Alturas, dejo en esta forma de ser materia. Mi yo físico se hunde en la noche de la obscuridad material para recibir esa claridad hermosa que recibo de tu Ser. En esta forma te siento prisionero en mi alma. Sí, Amo y Señor mío, te siento prisionero en el amor sincero que siento por mis hermanos de la Tierra, en el perdón que de todo corazón doy hoy a todos los que me hayan hecho agravios, en el deseo sincero que brota del fondo de mi alma para dar, para abrazar al sufrido; hasta en un deseo profundo que siento en este momento de desintegrar mi ser en átomo de amor y comprensión que vayan a depositarse en cada corazón humano. Por este sentimiento desconocido y divino que sólo viene de Ti es por lo que hoy te siento prisionero en mi alma. Inundada pues mi alma de tu sagrada energía.

¡Oh Señor! Voy a Hacerte una petición atrevida. Te hago una petición profunda por el dolor que siento por toda nuestra familia y todo nuestro pueblo amante de la paz y unido finito azul, torna tu vista a nuestro pueblo y a nuestra familia en este día si tal conviene a tu plan de progreso y armonía, haz que cualquier azote de hambre y sufrimiento que sobre nuestra subsistencia material se cierna cese para siempre por tu voluntad. Envía, Señor, tus mensajeros de luz, para que iluminen las mentes de los que tengan intereses particulares que priven del sustento diario a tantas familias pobres; y que sean esas mentes iluminadas según convenga a tu plan universal del progreso.

Mira, Buen Pastor, a tus hijos queridos de todo nuestro pueblo amante de la paz y unido en la fe. Haz que hoy y mañana podamos recibir el pan nuestro de cada día para que en cada hogar brille para siempre el sol de Tu nueva aurora de tranquilidad y paz universal. Danos pues, el sustento de nuestro cuerpo, la tranquilidad de nuestra mente y la paz de nuestras almas.

Gracias te doy, Señor; porque sé que me has escuchado y tu misericordia infinita se extiende sobre nosotros, pues tuyo es el poder y la gloria por los siglos de los siglos. Amén.

Oración para obtener éxito en las labores cotidianas

Tú eres, oh Señor, el foco de luz, el faro luminoso a donde camina mi alma. Yo soy una mariposa fugaz que revolotea hacia tu luz eterna y al fin caigo abrasado en tu esencia Divina. Tu luz llega a mí e inunda todo mi ser al igual que la luz del foco ciega en su abrazo amoroso a la mariposa multiforme. Dios mío, esa luz brillante que de Ti recibo crea en mí un fuego de amor tan hermoso que me inundo de una gratitud sublime.

Hoy, Dios mío, miles y miles de seres al igual que yo, habrán de marchar a múltiples quehaceres para ganar el sustento de cada día. El maestro irá a iluminar la sabiduría del cerebro de sus niños y tus niños. Maestro de Todos: la enfermera cumplirá su sacerdocio al lado de su enfermo, la obrera irá al taller a hilvanar con el sudor de su frente la ropa de su hijo y amasar la harina para el sustento de sus seres del alma, el obrero, el conductor, el comerciante, el agricultor, el humilde jornalero y el insigne capitalista: todos partimos a nuestras labores con el pensamiento puesto en nuestros hijos, padres o hermanos; y nuestra fe cristiana y pura puesta en tu infinita misericordia y en tu gran sabiduría, Señor.

Danos, Señor, la habilidad necesaria para conseguir con nuestro esfuerzo, el sustento para nuestro hogar, teniendo únicamente la honradez, la rectitud, la armonía y el esmero como divisa de nuestras acciones. Que con la salud de nuestros cuerpos y la claridad de nuestras mentes, seamos nosotros mismos los que podamos llevar el alimento a nuestros hogares y podamos repartir abundante felicidad entre nuestros seres amados.

No nos faltes, Señor, no nos faltes; acompaña cada ser en su camino al trabajo. Ven en el día de hoy a mi lado para que con el esfuerzo de todos se cumpla Tu voluntad aquí en la Tierra como en los cielos... Amén.

Oración para encontrar trabajo

Hay un lugar reservado para mí, mis manos están abiertas para convivir.

Hay un lugar reservado para mí, mi mente está abierta a recibir.
Hay un lugar reservado para mí, mi alma está lista para servir.
Mi trabajo me está esperando, Dios lo manifiesta aquí.
Mi trabajo me está esperando, Dios lo planeó para mí.
Mi trabajo me está esperando, yo me acerco y Él se acerca a mí.

Oración para lograr las metas personales

Todas las cosas buenas que yo deseo, Dios las tiene reservadas para mí.

Todo lo que siembro en tierra fértil, Dios alimenta la cosecha para mí.

Todos los logros que realice, en el tiempo justo se manifestarán en mí.

A nada le puedo temer, nada me puede detener, nada obstruye mi quehacer.

Cuando la presencia de Dios brilla en mi ser.

Oración para lograr la abundancia

En la presencia del Señor nada me falta. Él es mi fuente de amor y de abundancia.

En la presencia del Señor nada me falta. Él es el fruto que aparece con constancia.

En la presencia del Señor nada me falta. Él es la flor que me rodea con su fragancia.

Yo soy abundancia.

Yo soy abundancia.

Yo soy abundancia.

Porque reconozco a la gran fuente presente en nuestra estancia.

Oración para vencer el miedo

(Puede aplicarse para vencer el miedo al ir a pedir trabajo)

No hay nada por qué temer, mi espíritu es eterno.

No hay nada por qué sufrir, mi espíritu es eterno.

No hay nada que me pueda hundir, mi espíritu es eterno.

Yo no le temo a la vida porque Dios está conmigo.

Yo no le temo a la vida porque Dios es mi mejor amigo.

Yo no le temo a la vida porque Dios y yo somos uno.

Oración para lograr el éxito en el nogocio

La presencia de Dios habita en este lugar, todo trato es armonioso y cordial.

La presencia de Dios habita en este lugar, toda persona trabaja en paz y tranquilidad.

La presencia de Dios habita en este lugar, por ello todo se puede lograr.

¡Sálvanos Señor, que perecemos!

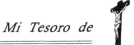

Mi negocio es próspero porque no busca engañar, mi negocio es próspero porque dejo a Dios estar, mi negocio es próspero porque su finalidad es amar.

Oración para agradecer los sagrados alimentos

Gracias Señor por los alimentos que nos brindas,
Ayúdanos a saborear la dulzura de Tu presencia.
Gracias Señor por estar presente en nuestra mesa,
Ayúdanos a compartir Tu divina providencia.
Gracias Señor porque hoy todo está cubierto,
Ayúdanos a valorar este preciado momento.
Dios es el alimento de nuestra alma.
Dios es el alimento de nuestra mente.
Dios es el alimento de nuestro cuerpo.
Esta es una gran razón para siempre estar contento.

Oración para hacer fortuna

En nombre de nuestro Señor Jesucristo, Padre, Hijo y Espíritu Santo, sólo un Dios en esencia y trino en personas; yo te invoco, Espíritu Santo ✛, Espíritu Bienhechor ✛, para que seas mi ayuda, mi apoyo; protejas mi cuerpo y mi alma, acrecientes mis riquezas, seas mi tesoro por la virtud de la Santa Cruz ✛, de la Pasión y Muerte del Todopoderoso; yo te requiero por todos los ángeles de la corte celestial, por los padecimientos de la bienaventurada siempre Virgen María, y por el Señor de los Ejércitos, que ha de juzgar a los vivos y a los muertos. A Vos, que sois Alfa y Omega, Emperador de Reyes, Mesías; Señor y Dios mío, a quien todos los santos invocan; yo os considero y os bendigo y por tu preciosa sangre que derramasteis para salvar al pecador, te suplico te dignes celebrar mis votos y darme la riqueza espiritual y material que necesito para ser feliz en esta vida y en la otra. Amén (se rezan tres Padrenuestros a la Santísima Trinidad y un Padrenuestro al Eterno Padre porque siga mis pasos).

Oración para pedir trabajo

Oh Señor, antorcha luminosa,
Te ruego ilumines mi espíritu para
Que pueda encontrar trabajo.
Te ruego que extiendas Tu mano generosa.
¡Así sea!

Oración para pedir trabajo

Oh Señor, vengo a pedir, no abundancia
Pero tampoco la pobreza,
Temiendo que una me arrastre a la vanidad;
La otra a la impaciencia,
A la tristeza y a la desesperación;
Sólo te pido que me ayudes a conseguir
Trabajo para tener las cosas necesarias
Para mantener a mi familia.
Padre de los pobres, asísteme.
¡Así sea!

Otra oración para pedir trabajo

Oh Señor, sálvame, pues las aguas
Me han llegado al cuello.
Estoy sumergido en el fango
Y no hallo dónde afianzar el pie;
Caí en aguas profundas
Y las olas me ahogan.
Estoy fatigado de pedir,
Mis labios están secos,
Mis ojos se debilitaron de esperar
Mi Señor.
Concédeme la gracia de trabajar,
No me desampares.
Gracias, Señor.

Oración pidiendo bendición

Oh Señor, fuerte y dulce.
Alto y glorioso, soberano y justo,
Lleno de gracia y clemencia;
Yo me inclino ante ti,
Me presento ante tu majestad
E imploro tu misericordia y bondad.
Dígnate a escuchar mis plegarias;
Bendice, te lo ruego, esta empresa
Por tu virtud todopoderosa.
Es la gracia que te pido,
En el nombre de tu hijo,
Que reina contigo y del Espíritu Santo,
Por los siglos de los siglos.

Petición para recuperar la clientela perdida

Señor, yo invoco Tu nombre,
Para que intercedas por mí
y así consiga la tranquilidad,
y recupere de nuevo
mi clientela perdida.
Te lo pido, ayúdame Señor.

Otra oración para lograr éxito en una empresa

Señor, pedimos humildemente
Tu guía y Tu apoyo en este trabajo
Que vamos a emprender juntos.
Oh Señor, haz que seamos eficientes
Y creativos, cuidadosos y amantes de
Nuestro prójimo.
Estamos contentos con nuestro trabajo
Y te pedimos que lo bendigas
Con tu bondad y sabiduría infinitas.
Gracias Señor, gracias
Por permitirnos trabajar juntos.

Oraciones para los que trabajan

Oración para agricultores y campesinos

Yo Soy el sembrador de luz,
Yo Soy el sembrador de amor,
Yo Soy el sembrador de paz,
Mi Padre es la tierra fértil
Donde nace mi alimento.
Yo Soy el sembrador de luz,
Yo Soy el sembrador de amor,
Yo Soy el sembrador de paz,
Mi Padre es el árbol de la vida
Que me da la provisión.
Yo Soy el sembrador de luz,
Yo Soy el sembrador de amor,
Yo Soy el sembrador de paz,
Mi Padre es el sustento
Que no me abandona jamás.

Oración para los que atienden público

Yo trabajo en el amor,
Yo trabajo en la armonía,
Yo trabajo en la paz,
La Presencia de Dios sirve a través de mí,
Yo Soy el conducto de su luz.
Mi mente se encontrará siempre lista
Para resolver cualquier dificultad.
Mi cara esbozará una alegre sonrisa,
Porque Dios es mi guía y mi voluntad.
Realizaré con gusto mi trabajo,
Ya que Dios me ha confiado este lugar.
Yo trabajo en el amor,
Yo trabajo en la armonía,
Yo trabajo en la paz,
Mi misión está cubierta al servir a los demás.

Oración para los obreros y empleados

Dios es la fuente cristalina y abundante,
De donde proviene todo lo que poseo.
Dios es el sol que alumbra mis días,
De donde proviene la luz que brilla en mi vida.
Dios es el prado verde y fragante,
De donde tomo energía a cada instante.
El Señor trabaja a través de mis manos
El Señor disipa mis temores vanos,
El Señor me protege entre sus brazos.

Oración para los que manejan dinero

Yo Soy el que trabaja sin prisa,
Porque Dios se manifiesta en mis manos.
Yo Soy el que esboza una sonrisa,
Porque Dios se manifiesta en mis labios.
Todo estará siempre completo,
Nunca me faltará nada,
Porque Dios se manifiesta en mi vida.

Oración para los contadores, los administradores y los economistas

Dios es la fuente de la vida,
Dios es la fuente de la abundancia,
Dios es la fuente del amor.
Todo bien material es suministrado por Él,
Toda empresa humana es sostenida por Él..
Si yo confío en mi Dios
mis decisiones serán para bien,
si yo confío en mi Dios
mis acciones subirán con Él,
si yo confío en mi Dios
mis ojos estarán listos para ver.

Dios está conmigo y yo estoy con Él,
Mi trabajo es un conducto
Para entender su poder.

Oración del trabajador

Señor Jesús: te ofrecemos en este día nuestros trabajos, nuestras luchas, nuestras alegrías y nuestras penas.

Concédenos a nosotros y a todos nuestros hermanos de trabajo, pensar como Tú, trabajar contigo, vivir en Ti.

Danos la gracia de amarte con todo nuestro corazón, con todas nuestras fuerzas.

Reina, Señor, en las fábricas, en las minas, en los talleres, en el campo, en las oficinas y en nuestros hogares.

Que las almas de los obreros que hoy se encuentran en peligro permanezcan en Tu gracia.

Y que los obreros muertos en el campo de honor del trabajo, por la misericordia de Dios, descansen en paz.

Sagrado Corazón de Jesús, bendice y santifica a los obreros. Sagrado Corazón de Jesús, venga a nosotros tu Reino por los obreros cristianos.

Reina de los apóstoles, ruega por nosotros. Amén.

Otra oración a San José

Ya estoy a los pies del gloriosísimo José; ya estoy postrado ante ese felicísimo Patriarca, ¿qué podría temer ahora, teniéndole por abogado? Vengan las aflicciones, la orfandad, la enfermedad, la miseria, cuanto fuere del agrado de Dios, que resignado me comportaré en medio de los mayores infortunios, porque José es mi refugio. De las maquinaciones de mi enemigo para perderme, de la lengua viperina del que injustamente me persiga, del ladrón que me tienda el lazo para

que caiga, del asesino que levanta el brazo para herirme, del aire corrupto, de la peste, me salvará tu poderosa mano, porque Tú eres mi Protector, porque has abierto los brazos para recibirme y salvarme; porque vas a hacer de mí un hombre nuevo, porque vas a ser mi guía en el camino de las virtudes, y porque en fin, rogarás a Dios por mí. Amén.

A San Martín Caballero

Oh glorioso soldado romano,
Que fuiste de Dios conferido
A cumplir el don de la caridad!
Por las pruebas más grandes
A que fuiste sometido por el Señor,
Yo te pido de todo corazón
Que combatas la miseria de mi casa,
Que la caridad de tu alma
Me siga a donde quiera que vaya
Que tu espada milagrosa destierre
Los maleficios en mi vida
Y que las herraduras de tu brioso corcel
Me proporcionen suerte en todos mis negocios.
¡Oh San Martín Caballero!
Del Señor fiel misionero...
¡líbrame de todo mal. Protégeme siempre!
¡Para que nunca me falten
la salud, el trabajo y el sustento!

A la Divina Providencia

¡Oh Divina Providencia!
¡Concédeme tu clemencia y tu infinita bondad!
Arrodillado a tus plantas, a Ti caridad portento.
Te pido para los míos casa, vestido y sustento.
Concédeles la salud, llévalos por buen camino.

Que sea siempre la virtud la que los guíe en su destino.
Tú eres toda mi esperanza. Tú eres el consuelo mío.
En lo que a mi mente alcanza,
En Ti creo, en Ti espero y en Ti confío.
Tu Divina providencia se extiende a cada momento.
Para que nunca nos falte casa, vestido y sustento.

A las Siete Potencias

Abro mis puertas, con el fin y la buena fe,
A los siete espíritus de la fortuna.
Que algún día lleguen a mi casa,
Que la dicha y la salud estén en mis puertas.
Por los siete Pueblos Principales,
Por los siete Libros Sagrados,
Por los siete Candelabros
Del templo de Salomón,
Por los siete Huesos de la Cabeza de Dios,
Por los Santos Ángeles Guardianes.
San Miguel Arcángel, San Rafael, San Gabriel,
Guía y Guarda de Dios.
Y que la bendición de Dios Padre Omnipotente
Del Hijo y del Espíritu Santo
Descienda sobre nosotros.

A San Judas Tadeo

¡Oh glorioso Apóstol San Judas,
fiel servidor y amigo de Jesús,
el nombre del pérfido discípulo
que entregó a tu maestro
en manos de tus enemigos,
ha hecho que muchos te hayan olvidado,
pero la Iglesia te venera y te invoca
como Patrón de los casos desesperados.

Ruega por mí tan necesitado,
Haz uso del privilegio a ti concedido
De prestar visible y pronta ayuda,
Cuando ésta de nada
Ni de nadie se espera.
Ven a mi ayuda en esta gran necesidad
Para que pueda recibir
Las consolaciones y socorros del cielo
En todas mis necesidades, tribulaciones y dolores
En particular.
[EN ESTE ESPACIO ENTRA SU PETICIÓN]
Y pueda bendecir a Dios contigo
Y con todos los elegidos en la eternidad.
Te prometo, Bienaventurado San Judas,
Agradecerte para siempre este favor
Y no cesar de honrarte
Como especial y poderoso Protector,
Y hacer cuanto esté en mi poder
Para fomentar la devoción
A tu patrocinio.
Amén.
San Judas Tadeo, ruega por nosotros,
¡y por todos los que invocan tu ayuda!

A San Antonio

Trece minutos a San Antonio.

Trece minutos que estaré a tus pies, Padre mío San Antonio, para ofrecer mi invocación sentida ante tu imagen milagrosa, de quien tanto espero, pues bien se ve que tú tienes poderosas fuerzas divinas para llegar a Dios. Así lo revelan tus patentes milagros, Padre mío San Antonio, pues cuando acudimos a ti en horas de tribulaciones, siempre somos prontamente escuchados.

Hoy que es un día tan grande llegarán a ti, miles de almas, que son tus fervientes devotos, a pedirte, porque sabemos que nos harás grandes concesiones, poniendo en primer turno a los más necesitados para que reciban tus favores. ¡Qué consolada me siento al entregarte mis penas!

Espero Santo mío me concedas la gracia que deseo y si me la concedes, te prometo contribuir con una limosna para tus niños pobres.

Tres grandes gracias te concedió el Señor: —que las cosas perdidas fueran aparecidas, las olvidadas recordadas y las propuestas aceptadas—. ¡Cuántos devotos llegarán a ti, diariamente a pedirte alguna de las tres, y tú jamás te niegas a concederlas! ¡Que llegue hoy a ti la mía que tan necesitado pone a tus pies éste, tu humilde devoto!

(Al final se rezan tres Padrenuestros, tres Ave Marías y tres Glorias).

A San Felipe de Jesús

Santísima Trinidad: Padre, Hijo y Espíritu Santo, te doy gracias por las virtudes con que lo adornaste en esta vida y por la gloria que le diste en el cielo.

Ya que tanto lo glorificaste, concédeme, por su intercesión, la gracia que hoy te pido.

[EN ESTE MOMENTO SE MENCIONA LA GRACIA QUE SE SOLICITA]

Y tú, mi abogado y protector, intercede por mí alcanzándome de la divina Misericordia la gracia que necesito.

Concédeme sobre todo que un día en tu compañía pueda alabar y dar gracias a Dios por toda la eternidad. Amén.

A San Francisco de Asís

Señor, haz de mí conducto de tu paz
    Para que allí donde haya odio, pueda llevar amor
    Para que donde haya mal, pueda llevar el espíritu del perdón

Para que donde haya discordia, pueda llevar la armonía,
Para que donde haya error, pueda llevar la verdad
Para que donde haya la duda, pueda llevar la fe
Para que donde haya desconsuelo, pueda llevar la esperanza
Para que donde haya tinieblas, pueda llevar la luz
Para que donde haya tristeza, pueda llevar la alegría
Señor, concédeme que yo pueda consolar y no ser consolado,
Comprender y no ser comprendido,
Amar y no ser amado.
Porque para encontrarse hay que olvidarse de sí mismo.
Perdonando seremos perdonados.
Al morir es cuando despertamos a la Vida Eterna. Amén.

A San Jorge

Defiéndenos en la lucha;
sé nuestro amparo contra la
perversidad y las acechanzas del demonio.
Que Dios manifieste sobre él su poder,
Es nuestra humilde súplica.
Amén.

A San Marcos

Gloriosísimo, morador bendito de la ciudad santa de Jerusalén;

Te negaste enteramente a sus inclinaciones y apetitos,
Y dejando burlados sus conatos, supiste hermosear tu alma
Con bellezas mejores de la gracia,
Dichoso tú, mil veces, que te hiciste agradable a los ojos
De Dios.

Te suplico le digas a nuestro Señor
Que estoy bajo tu protección y que no alego otra cosa
Que la Sangre de su Santísimo Hijo derramada por mí.
Amén.

A San Miguel Arcángel

San Miguel Arcángel, defiéndenos en la lucha;
Sé nuestro amparo contra la perversidad
Y las acechanzas del demonio.
Que Dios manifieste sobre él su poder,
Es nuestra humilde súplica.
Y Tú, príncipe de la milicia celestial
Con la fuerza que Dios te ha conferido,
Arroja al infierno a Satanás
Y a los demás espíritus malignos
Que vagan por el mundo para
La perdición de las almas.
Amén.

San Ramón Nonato

Oh Dios, te suplico,
Por tu gran piedad,
Oigas a tu afligida sierva que te llama;
Y por méritos de San Ramón Nonato,
Cuyo nacimiento fue milagroso,
Me favorezcas en este parto;
Y yo te ofrezco ser tu humilde esclava
Y obrar siempre lo que te es grato.

A San Martín de Porres

¡Oh glorioso San Martín de Porres!
Con el alma inundada de serena confianza, te invocamos.
Recordando tu inflamada caridad bienhechora de todas
Las categorías sociales.
A ti dulce y humilde de corazón te presentamos nuestros
Deseos.
Derrama sobre las familias los suaves dones de tu
Intercesión solícita y generosa.

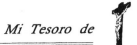

Abre a los pueblos de toda estirpe y de todo color
El camino de la unidad y de la justicia.

Pide al Padre que está en los cielos,
La venida de su reino,
Para que la humanidad en recíproca benevolencia,
Fundamentada en la hermandad por Cristo,
Aumente los frutos de la gracia y
Merezca el premio de la gloria.
Amén.

A la Santísima Trinidad

Por el poder de la Santísima Trinidad y por el poder del Creador tenga yo virtud y poder de deshacer encantamientos, ligamentos, obcecamientos, posesionamientos y todo mal dado o tirado en cualquier maleficio.

Que todas las acciones de los ladrones, traidores y toda clase de enemigos queden destruidas por mí N.N., en virtud y poder de mi Angel protector y de Dios, el Creador.

Que seamos guardados yo, mi familia y demás personas que me quieren bien, de los enemigos y contrarios, por el poder del Creador y por el que nos dejó San Cipriano y el Redentor, así como también que queden ligados y cortados de sus pensamientos y acciones.

Por el poder de la Santísima Trinidad y del Ángel que, cuando me convenga quede invisible o multiplicado.

Por el poder que tuvo José y su hermano Benjamín sobre el rey faraón, quede yo siempre libre y en victoria sobre mis enemigos.

Por el poder que tuvo el gran San Cipriano y Santa Justina, y por la gloria, poder y virtud de San Agustín que fue consagrado por el Redentor y la Virgen del Carmen, tenga yo también propiedad, virtud y fuerza, siendo salvado por la Cédula del Carmen y porque soy criatura que llevo la sangre de Jesús.

Todos mis enemigos queden ligados y derrotados y el Espíritu Santo sea mi ayuda y me guarde de los malos espíritus y de su poder.

¡Gloria al Padre, Gloria al Hijo, Gloria al Espíritu Santo ✝, Gloria al excelso Dios!

(Se rezan tres Padrenuestros y Ave Marías a la Virgen del Carmen).

A San Agustín

¡Oh dulcísimo Señor Jesucristo, verdadero Dios y hombre, y que fuiste enviado por nuestro Padre omnipotente al mundo para salvar a los pecadores y también para desatar a los que estaban atados en las prisiones, para congregar a los divididos, para volver a los peregrinos a sus patrias, para tener misericordia de los contritos de corazón y consolar a los tristes y afligidos. Dígnate, Dios y Señor mío Jesucristo, desatar y librar este indigno servidor vuestro N., de la tribulación y aflicción en que está. Tú, Señor, que con vuestra preciosísima sangre nos rescataste el paraíso, estableciendo la paz entre los ángeles y los hombres, dígnate sellar esa misma paz entre yo y mis enemigos; que me perdonen como yo les perdono. Bien sé; Señor, que soy indigno de tanta merced; por esto acudo a la intercesión del glorioso San Agustín. Por sus méritos, ya que no por los míos, accede a mi demanda.

Y Tú, glorioso Padre de la Iglesia, no desdeñes en aceptar mi encargo. Sé mi protector en toda acechanza y sé mi intercesor para con la Majestad Divina. Amén.

A San Pablo

Pablo va adelante, yo voy en medio, y detrás de mí, sígueme San Pedro, y a mis costados a San Lucas y San Marcos tengo apostados. Los canes y los lobos, tengan cerradas sus fauces, a morderme van preparadas, y de enemigos sea resguardado en cada día como lo fue por Cristo, Santa María antes del parto, y después que dio al mundo su fruto Santo, quisiera al paraíso poder entrar con las almas benditas que es gran contexto contemplar a quien hizo el sol y el viento. Un ensueño he tenido muy verdadero, donde vi a Jesucristo en un madero asaeteado y de pies y de manos en él clavado. De su santa

cabeza sangre brotaba, que al correr por su rostro se coagulaba y de sus labios, escuché, perdonaba tantos agravios. Lastimado y contrito de tantas penas sufridas por mis culpas y las ajenas, perdón te pido y prometo enmendarme arrepentido. En cambio en tu clemencia Dios de bondad, detén a mi adversario en su maldad, y haz que su encono se convierta en cariño que yo le abono. Sea siempre en mi vida, la Virgen Santa, San Martín el Apóstol y Santa Marta y que la Cruz me sirva de estandarte. Amén. Jesús.

(Se reza un Padrenuestro y un Ave María, ofreciéndolos a Dios).

Oraciones para Las Vírgenes

A la Vírgen María

Salve, Santa Madre, que engendrastes al Rey que gobierna los cielos y la Tierra por los siglos de los siglos. Amén. Un bello cántico sale de mi corazón: al rey dedico mis obras. Gloria al Padre, Gloria al Hijo, Gloria al Espíritu Santo, por siempre y para siempre por los siglos de los siglos. Amén.

Suplicamos, Señor y Dios nuestro, concedas a tus siervos gozar de perpetua salud en alma y cuerpo; y que por la gloriosa intercesión de la bienaventurada Virgen María, nos veamos libres de las tristezas de esta vida y gocemos de las alegrías eternas. Por nuestro Señor Jesucristo. Amén.

Al Inmaculado Corazón de María

Oh Corazón de María, compadécete de los incrédulos; despierta a los indiferentes; da la mano a los desesperados; convierte a los blasfemos y profanadores de los días del Señor. Ave María.

Oh Corazón de María, aumenta la fe de los pueblos; fomenta la piedad; sostén las familias verdaderamente católicas; apaga los odios y venganzas en que se abrasa el mundo. Ave María.

Oh Corazón de María, salva a los mundanos, purifica a los deshonestos, vuelve al buen camino a tantas víctimas del vicio y del error. Ave María.

Oh Corazón de María, convierte a todos los perseguidores de la Iglesia, dirige a los patronos y obreros; ilumina con la luz celestial a los malos escritores y gobernantes; santifica a los malos católicos. Ave María.

¡Oh dulce Corazón de María, sé la salvación mía!

Al Corazón Dolorido de María

Te compadezco, Dolorida María, por la aflicción que tu tierno Corazón padeció con la profecía del santo anciano Simeón. Querida Madre, por tu corazón tan afligido alcánzame la virtud de la humildad y el don del Santo temor de Dios.

Dios te salve María...

Te compadezco, Dolorida María, por las angustias que sufrió tu sensibilísimo Corazón en la huída y permanencia en Egipto. Amada Madre, por tu Corazón tan angustiado, alcánzame la virtud de la Liberalidad, especialmente con los pobres, y el don de la Piedad.

Dios te salve María...

Te compadezco, Dolorida María, por las congojas que sintió tu cuidadoso Corazón en la pérdida de tu querido Jesús. Amada Madre, por tu Corazón tan agitado, alcánzame la virtud de la Castidad y el don de la Sabiduría.

Dios te salve María...

Te compadezco, Dolorida María; por la consternación que sintió tu maternal Corazón al encontrar a Jesús cargado con la Cruz. Amada Madre, por tu amoroso Corazón tan atormentado, alcánzame la virtud de la Paciencia y el don de la Fortaleza.

Dios te salve María...

Te compadezco, Dolorida María, por el martirio que padeció tu generoso Corazón presenciado la agonía de Jesús. Amada Madre, por tu Corazón tan martirizado, alcánzame la virtud de la Templanza y el don del Consejo.

Dios te salve María...

Te compadezco, Dolorida María, por la herida que sufrió tu piadoso Corazón con la lanzada que abrió el Costado de Jesús, e hirió su amabilísimo Corazón. Amada madre, por tu Corazón así traspasado, alcánzame la virtud de la Caridad fraterna y el don del Entendimiento.

Dios te salve María....

Te compadezco, Dolorida María, por el pasmo que tu amantísimo Corazón experimentó en la sepultura de Jesús. Amada Madre, por tu desolado Corazón, alcánzame la virtud de la Diligencia y el don de la Sabiduría.

Dios te salve María...

Ruega por nosotros, Virgen dolorosísima.

Para que seamos dignos de las promesas de Cristo.

A Nuestra Señora de los Desamparados

Nos acogemos bajo tu amparo, Santa Madre de Dios; no deseches nuestras súplicas en nuestras necesidades; mas líbranos siempre de todos los peligros, ¡oh virgen gloriosa y bendita! Dígnate que yo te alabe, Virgen Sagrada. Dame virtud contra tus enemigos. Bendito Dios en sus Santos. Amén.

A la Vírgen de Guadalupe del Tepeyac
Corona de las doce Estrellas

Alabemos y demos gracias a la Santísima Trinidad, que —en el Apocalipsis— nos mostró a María Virgen vestida de Sol, con la Luna a sus pies, y con una misteriosa corona de doce estrellas en la cabeza. Por los siglos de los siglos. Amén.

Alabemos y demos gracias al Divino Padre, que la escogió por Hija suya. Amén (Rezar un Padrenuestro).

Sea alabado el divino Padre, que la predestinó por Madre de su divino Hijo. Amén (Rezar un Ave María).

Sea alabado el divino Padre, que la preservó de toda culpa en su Concepción. Amén (Rezar un Ave María).

Sea alabado el divino Padre, que le dio a San José por compañero y esposo purísimo. Amén (Rezar un Ave María y Gloria).

Alabemos y demos gracias al divino Hijo, que la escogió por su madre. Amén (Rezar un Padrenuestro).

Sea alabado el divino Hijo, que se encarnó en su seno y estuvo en él nueve meses. Amén (Rezar un Ave María).

Sea alabado el divino Hijo, que de Ella nació y fue alimentado con su leche. Amén (Rezar un Ave María).

Sea alabado el divino Hijo, que en su niñez quiso ser educado por Ella. Amén (Rezar un Ave María).

Sea alabado el divino Hijo, que le reveló los misterios de la redención del mundo. Amén (Rezar un ave María y Gloria).

Alabemos y demos gracias al Espíritu Santo, que la recibió por su Esposa. Amén (Rezar un Padrenuestro).

Sea alabado el Espíritu Santo, que le reveló antes que a ningún otro su nombre de Espíritu Santo. Amén (Rezar un Ave María).

Sea alabado el Espíritu Santo, por cuya obra fue Virgen y Madre juntamente. Amén (Rezar un Ave María).

Sea alabado el Espíritu Santo, por cuya virtud fue templo vivo de la Santísima Trinidad. Amén (Rezar un Ave María).

Sea alabado el Espíritu Santo, por quien fue ensalzada en el Cielo sobre todas las criaturas. Amén (Rezar un Ave María y Gloria).

Oración para la Vírgen de Guadalupe escrita por el Papa Juan Pablo II con motivo de su visita a la Basílica de Guadalupe

¡Oh Virgen Inmaculada, Madre del verdadero Dios y Madre de la Iglesia!

Tú, que desde este lugar manifiestas tu clemencia y tu compasión a todos los que solicitan tu amparo; escucha la oración que con filial confianza te dirigimos, y preséntala ante tu Hijo Jesús, único Redentor nuestro.

Madre de misericordia, Maestra del sacrificio escondido y silencioso, a ti, que sales al encuentro de nosotros, los pecadores, consagramos en este día todo nuestro ser y todo nuestro amor. Te consagramos también nuestra vida, nuestros trabajos, nuestras alegrías, nuestras enfermedades y nuestros dolores.

Da la paz, la justicia y la prosperidad a nuestros pueblos; ya que todo lo que tenemos y somos lo ponemos bajo tu cuidado, Señora y Madre nuestra.

Queremos ser totalmente tuyos y recorrer contigo el camino de una plena fidelidad a Jesucristo en su Iglesia: no nos sueltes de tu mano amorosa. Virgen de Guadalupe, Madre de las Américas, te pedimos por todos los obispos, para que conduzcan a los fieles por senderos de intensa vida cristiana, de amor y de humilde servicio a Dios y a las almas.

Contempla esta inmensa mies, e intercede para que el Señor infunda hambre de santidad en todo el pueblo de Dios, y otorgue abundantes vocaciones de sacerdotes y religiosos fuertes en la fe y celosos dispensadores de los misterios de Dios.

Concede a nuestros hogares la gracia de amar y de respetar la vida que comienza, con el mismo amor con el que concebiste en tu seno la vida del Hijo de Dios. Virgen Santa María, Madre del amor hermoso, protege a nuestras familias, para que estén siempre muy unidas, y bendice la educación de nuestros hijos.

Esperanza nuestra, míranos con compasión, enséñanos a ir continuamente a Jesús y, si caemos, ayúdanos a levantarnos, a volver a Él, mediante la confesión de nuestras culpas y pecados en el sacramento de la penitencia que trae sosiego al alma. Te suplicamos que nos concedas un amor muy grande a todos los santos sacramentos, que son como las huellas que tu Hijo nos dejó en la Tierra.

Así, Madre Santísima, con la paz de Dios en la conciencia, con nuestros corazones libres de mal y de odios, podremos llevar a todos la verdadera alegría y la verdadera paz, que vienen de tu Hijo, nuestro Señor Jesucristo, que con Dios Padre y con el Espíritu Santo, vive y reina por los siglos de los siglos. Amén.

Nuevas alabanzas a María Santísima de Guadalupe

Dichoso el mes de diciembre
Que hiciste tu aparición,
Hoy todos tus visitantes,
Te rinden su adoración.
Misterio tan portentoso
Que hiciste en un peñón,
¡Oh María de Guadalupe!,
que linda es tu aparición.
En ese ayate precioso
Que vemos muy elevado,

ioh María de Guadalupe!
Que linda te has retratado.
Para consuelo de todos
Así nos lo has demostrado,
Madre mía de Guadalupe,
Mira a tu pueblo humillado.
Venimos de muchos pueblos
Madre mía Guadalupana,
A visitarte este día,
Lucero de la mañana.
Muchos venimos a verte,
Porque es nuestra devoción,
Muchos a pagar promesas,
Madre de mi corazón.
Tu alivias a los enfermos,
Libertas al que te aclama,
Porque eres muy milagrosa,
Madre mía Guadalupana.
Hoy entramos a tu iglesia,
Con gusto y con alegría,
Madre mía Guadalupana,
Tú nos servirás de guía.
Tú nos acortas la cuesta
ioh virgen Guadalupana
tu bendices a la gente
por la tarde y la mañana!
Subimos a las Crucitas
Todos con gran alegría,
Y de allí vemos tu templo,
Virgen Sagrada María.
Ya llegamos muy contentos
Rezándote una oración
A acompañarte unos días
En tu sagrada mansión.
Llegamos a estos parajes
Donde es nuestra morada,

Donde pasaremos días
Oh Virgen tan venerada.
Y vimos en tu retrato
Tu belleza sin igual,
Madre mía Guadalupana,
Líbranos de todo mal.
Ya tuvimos el consuelo
De llegar a tu presencia.
Para el año venidero
Préstanos vida y licencia.
Te suplicamos, Señora,
Toditos por igual
Recíbenos en tu Reino
De la Patria Celestial.

A Nuestra Señora de la Salud

¡Oh María, Salud de los enfermos! Tú, que en mis enfermedades me has impetrado el restablecimiento, alcánzame que no abuse de esa gracia tuya y divino don; te suplico que me asistas benigna en todas las demás dolencias que tenga que sufrir, y principalmente en la postrera. Dame entonces la paciencia, la obediencia, la santa resignación; aleja de mí al tentador, enemigo de mi alma; alcánzame verdadero dolor de mis culpas, santas disposiciones que al recibir los últimos consuelos de la religión. Haz que mi corazón en aquella hora solemne sea todo de Dios y tuyo; que con tu santísimo divino Hijo en el corazón y en los labios, entre en la eternidad. Amén.

Jesús, José y María, te doy mi corazón y el alma mía.

Jesús, José y María, asísteme en mi última agonía.

Jesús, José y María, expire en paz la vida mía.

ÍNDICE